犯罪心理学者が教える
子どもを呪う言葉・救う言葉

出口保行

SB新書
589

はじめに　法務省で出会った1万人の犯罪者たちに学んだこと

犯罪や非行、問題行動の背景には、どのような家庭環境で育ったかという問題が大きく関わっています。しかし、家庭環境といっても、虐待や育児放棄、貧困といったわかりやすい問題だけではありません。

実は、親がよかれと思って投げかけた言葉が「呪いの言葉」となって子どもの未来を壊してしまう場合が多いのです。

そう、親の子育ての、ほんのちょっとした不注意こそが問題なのです。

これは、私が1万人を超える犯罪者・非行少年の心理分析を行った経験から、確信したことです。

私は現在、大学で心理学を教える立場にありますが、以前は、法務省に勤めていました。法務省の心理職として22年間勤める中で、現場としては、少年鑑別所（かんべつしょ）は青森、横浜、高知、松山の4か所、刑務所は重大犯罪者を集めた宮城刑務所、拘置所は国内最大の東京拘置所に勤務しました。

そのほか霞が関にある法務省矯正局や法務省大臣官房秘書課、法務総合研究所などでの勤務経験があります。


現場で心理分析を行った犯罪・非行のタイプは多岐にわたります。

東京拘置所に勤務していた当時は、犯罪件数が戦後もっとも多かった時期でした。万引き犯からオウム真理教の関係者、指定暴力団や大規模窃盗団、外国人犯罪者集団など、わが国で起こるすべての種類の犯罪について心理分析を行いました。また、宮城刑務所は、無期懲役を含む長期刑の受刑者を集めて収容する刑務所でしたので、強盗・強姦殺人、テロ殺人、保険金殺人といったあらゆるタイプの凶悪犯罪について心理分析を行いました。少年鑑別所でも万引きや覚せい剤使用から殺人までさまざまな非行少年の心理分析を試みました。それぞれが印象深く、いまも鮮明に記憶に残っていることばかりです。

犯罪・非行自体は決して許されることではありませんが、非行少年たちを見ていると、ある意味では親をはじめとする大人たちの「犠牲者」だと感じることがあります。その少年がひとりで勝手に悪くなったわけではないのです。

冒頭の繰り返しになりますが、一見何の問題もないように見える家庭で、保護者としても「よかれと思って」していることが子どもにとってはそうではないという「ボタンのかけ違い」が問題化している場合も多いのです。

もちろん、子どもを犯罪者にしたいと思っている親はいないでしょう。非行が発覚すると「まさかうちの子が」とショックを受ける親が大半です。

周囲の人も「あんなにいい子がなぜ」と驚くケースもよくあります。「絵に描いたような理想のご家庭なのに……」と思われることもあります。しかし、非行に至る心理を丁寧にたどっていくと、必ず理由がありました。

どうすれば子どもが社会不適応を起こさず、幸せに生活していけるのか。周囲の大人はどういうところに気をつけるべきなのか。犯罪者・非行少年1万人超の心理分析を行ったということは、それだけの失敗例に触れてきたということでもあります。失敗例を知ることは失敗を防ぐだけでなく、むしろ「どうすれば成功するのか」を考えるきっかけにもなります。つまりこれは、すべての親に関係のあることなのです。

そこで私のこれまでの経験を、子育て本として1冊にまとめることにしました。一般のご家庭向けに書籍を執筆するのははじめての経験です。もしかしたらわかりにくい点もあるかもしれません。それでも、手にとってくださったあなたにとって、本書が価値ある1冊でありますように。

なお、第1章からの各章冒頭には犯罪や非行の事例を載せています。もちろん、私が現実に心理分析を担当してきた事例は、守秘義務があるのでそのまま書くことはできません。ですから、本書の事例はフィクションです。人物名も変えていますが、内容はかなりの割合で事実をもとにしています。実際にあったことそのままにならないよう、事件の詳細を変えたり、2つ以上の事例を組み合わせたりしています。
各事例の中でもとくに特徴的な「呪いの言葉」を挙げながら、より良い子育て・教育に活かせるよう解説していきたいと思います。

2022年7月

出口保行

目次

第2章 「早くしなさい」が先を読む力を破壊する

第3章 「頑張りなさい」が意欲を破壊する

第4章 「何度言ったらわかるの」が自己肯定感を破壊する

第5章 「勉強しなさい」が信頼関係を破壊する

終章 子どもを伸ばす親の愛情

序章

「よかれと思って」は親の自己満足

「よかれと思って」が犯罪につながるのはなぜなのか

第1章に入る前に、この章では子育てで大事な前提をお伝えします。

親は子どものためを思って、「ああしなさい」「これはしてはダメ」とさまざまな声かけをするものです。人間は社会の一員として生活することが求められ、ひとりでは生きていけませんから、社会性を身につける必要があります。「人の物を盗(と)ってはいけない」「暴力をふるって人を傷つけてはいけない」といったことも、親が教えなければならない社会のルールのひとつでしょう。社会に出て困らないよう最低限のルールを教えるのは親の務めです。

私が見てきた非行少年の親の中には、あまりにも放任主義で親としての責任を放棄しているように感じる人が一定数いました。子どもが何か問題行動を起こしたとき、「子どものしたことであって自分には関係ない」「自分の責任ではない」という態度をとり続けるのです。こうした態度が子どもにいい影響をおよぼすわけがありません。

少年院に収容された非行少年の親について、少年院の先生（法務教官といいます）

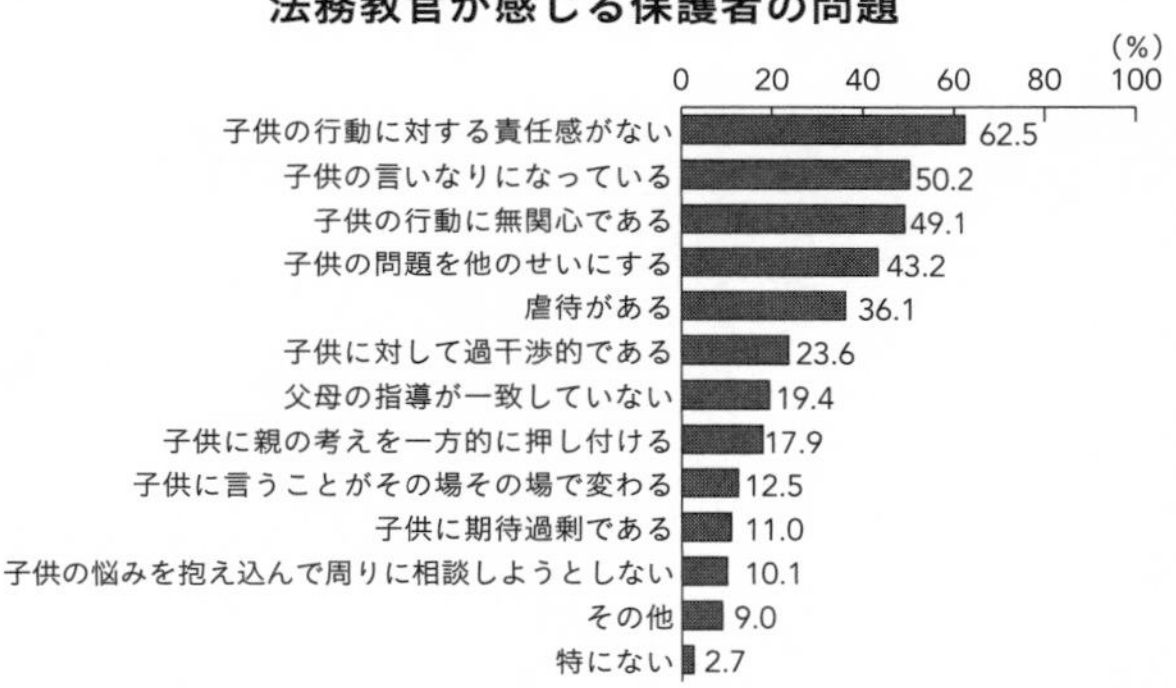

出典：平成17年版犯罪白書「少年非行」（法務省）

が問題だと感じていることを調査したデータがあります。これによれば、もっとも問題とされているのは「子供の行動に対する責任感がない」（62・5％）。次いで「子供の言いなりになっている」（50・2％）、「子供の行動に無関心である」（49・1％）となっており、親の責任感の乏しさを問題として認識している先生が多いことがうかがえます。

子どもに対して社会のルールを教えることもせず、問題を起こしたときに「子どもが勝手にやったことだから知らない」という親のもとでは、子どもは責任について考えることができません。当然ながら更生への道も険しいものとなります。

一方で、「ああしなさい」「これをしてはダメ」といった、社会性を身につけさせるために言った言葉の数々が子どもをがんじがらめにし、非行へ向かわせていることがあります。

「よかれと思って」

非行少年の保護者から何度聞いたかわかりません。

子育てを放棄しているわけでもない、虐待をしているわけでもない、自分なりに一生懸命やってきた。子どものためを思って、よかれと思っていろいろな言葉をかけてきた。そう思っている親も多いのです。

「うちの子がまさかそんなことをするなんて……」

よかれと思ってしたこと・言ったことがいったいなぜ、非行・犯罪につながってしまうのでしょうか。

客観的事実と主観的現実は違う

「はじめに」でもお話しした通り、私はこれまで1万人を超える犯罪者・非行少年の心理分析をしてきました。

ここで、犯罪心理学における心理分析とはどういうものなのか簡単にご説明しておきましょう。

そもそも心理学は「科学」の一分野です。何らかの事実に基づいて分析する学問であって、いわゆる占いや予言とは別のものです。バラエティ番組でも占いのように「心理を当ててください」と期待されることがありますが、「当てる」というのとは違います。あくまでも証拠やデータに基づき、分析をするのです。

現場で行っていることを具体的に言うと、「1対1の面接」「心理テスト」「行動観察」の3つです。

面接では、生育歴や家族のこと、学校生活についてなどを丁寧に聞いていきます。とくに家庭環境、家族一人ひとりがどんな人なのかといったことをじっくり聞くことから始まります。当然ながら1回で終わることはありません。

なぜこんなことをするのか。その人の中でどのような記憶がどのように人格形成に影響しているのかを調べるためです。これを省いて心理分析を行うことはできないのです。

面接では事件に至るまでのプロセスについても調べるので、「警察の取り調べとは違うのですか?」と聞かれることがありますが、全然違います。警察の取り調べは、客観的事実を時間軸に沿って追っていくのが基本です。何時何分にどこで何をしたのか。供述を記録したものが、裁判資料になります。ここで重要なのは客観的事実です。

一方、心理分析で重要なのは「**主観的現実**」。私たちももちろん客観的事実について聞きますが、本人がどうとらえたかが問題です。はたから見ると**些細な出来事であっても、本人にとっては大きなショック**だったということはあります。

たとえば親が何の気なしに言った「もうちょっと頑張らないとね」という言葉が、ものすごく重たいものになっていたということが実際にあります。親が「頑張らないとね」と言ったのは客観的事実ですが、それを「自分は何をやってもダメなんだ、だからお母さんは決して認めてくれないんだ」と受け止めたのは主観的現実であるわけです。

心理テストは、その人の特徴を知るための検査です。面接では主観的現実に注目しますが、同時に心理テストによって客観的な測定・評価も行います。

質問に答えることで、「あなたの特徴は〜です」と表示されるゲームのような心理テストが巷（ちまた）に多くありますが、犯罪心理分析で行うものはプロしか扱えない専門的なものです。心理テストを実施し、解釈することも心理分析のひとつなのだということです。

それから「**行動観察**」をします。

面接では、少しでも罪を逃れようと「いい人を装う」「反省しているフリをする」人も多いのが現実です。「大変なことをしてしまいました。心を入れ替えて真面目に生きていきます」と涙ながらに訴えていた人が、ひとりになったら寝転がって「フン！」と言っている。そんなケースはいくらでもあります。面接以外で観察をするのも非常に重要です。

家庭裁判所が精密な調査を求める非行少年の場合、少年鑑別所で約4週間にわたりこういった心理分析を行います。その結果をもとに家庭裁判所で処分を決めることになります。少年院に入院する場合は、この心理分析結果が少年院でも活用されます。

どんな人も更生できる

このように、心理分析は多面的に行うものです。犯罪者一人ひとりに対して、時間と労力をしっかりかけて行います。すべては更生プログラムに活かすためです。

よく誤解されるのが、犯罪心理学とは「なぜその犯罪が起きたのかを分析する学問」だということです。もちろん、犯罪の原因を調査するのは大事なことです。「なぜやってしまったのか」を分析することは求められるのですが、それが目的ではありません。

犯罪心理学の目的は、更生への指針を示すことです。罪を犯してしまった人が社会に復帰して、自律的に生きていくための教育を施すことなのです。更生プログラムを作るために、じっくり時間をかけて心理分析をしています。そのプログラムは、一人ひとり違うオーダーメイドです。

あまり知られていませんが、少年院に限って言えば日本の更生率は非常に高いです。少年院を出た後、5年以内に再犯して戻ってきてしまう率は約15％（出典：令和3年版犯罪白書〔法務省〕）。つまり、8割から9割が更生できているというわけなのです。

そもそも少年院に行く子ども自体の数も少ないです。家庭裁判所で扱った非行事件約4万4000件のうち少年鑑別所入所者は約5200人、少年院へ入所するのは約1600人。つまり、少年鑑別所まで行くのは全体の12％、少年院まで行くのは全体の4％ということです（出典：令和3年版犯罪白書〔法務省〕）。

少年院まで行くのは、一般的に言えば「どうしようもない悪いヤツ」と思われている少年です。普通にしていたら「社会生活ムリでしょ」「また犯罪するでしょ」と思われている少年が、少年院に入って1年ほどで社会復帰し、多くは再犯することなく生活ができるようになっているのです。こう考えると、驚くべき数字ではないでしょうか。

これには犯罪心理学の分析結果に基づいた矯正教育における的確な更生プログラムと、丁寧な教育実践が功を奏していると考えられます。

きちんと心理分析をし、それに基づいて個別の教育をきちんと行うことができれば、どんなに「どうしようもないヤツ」と思われている人でも、社会の中で自律的に生きていくことができるのです。私はそれを信じてやってきましたし、実際に教育を行っている少年院の先生もそうでしょう。

親のよかれは子どもにとっていいとは限らない

ただ、正直に言うと厄介なのは保護者のほうです。子ども自身は、変わることができます。しかし、親が変わることを拒むと、子どもの更生が難しくなるのです。

私は多くの非行少年の更生にも立ち会ってきました。その中で、たとえば親に対し「お子さんの言うことを否定するのでなく、いったん受け入れてから指導してもらえませんか」と伝えたとき、これまでのやり方が子どもを苦しめていたことに気づき、変わる親もいました。「私が悪かった。気づかなくてごめんなさい」と子どもに謝り、良くなかったところを変える努力をするのです。

この場合、非行少年の更生は決して難しくありません。一度は罪を犯したという非常に重たいものはあるけれど、これがきっかけとなって良い方向へ向かうことができます。

ところが、同じように伝えても聞く耳を持たない親もいます。「私は私のやり方でやっているんです！　あなたに何がわかるんですか！」「そんなこと言われなくてもわかっています！　私はちゃんとやっています！」とキレる人さえいるのが現実です。

親自身は「子どものためを思ってやってきた」という認識である場合、「それが子どもにとってはいい迷惑だった」と言われてもなかなか受け入れられないのでしょう。その気持ちもわかります。

しかし、親が良いと信じていることでも、子ども自身にとってはいい迷惑という場合は多いのです。そして、最初は小さなボタンのかけ違いだったものが、次第に取り返しのつかない事態になっていく……。

これはすべての親が陥る危険性のあることです。「よかれと思って」「子どものために」という言葉が出たとき、「それは本当だろうか？」と自ら顧みる姿勢が必要ではないでしょうか。大事なのは子どもにとっての「主観的現実」です。これは何度でも強調したいことです。

親が陥りがちな確証バイアス

そもそも親は「**確証バイアス**」によって、子育ての方針を修正するのが難しくなります。「確証バイアス」とは心理学の用語で、自分に都合のいい情報ばかりを無意識に集めてしまうことを言います。自分が正しいと思うことを支持する情報に目が行き、否定するような情報は無視する。その結果、思い込みが強固になり、かたよった判断をするようになるというものです。

これは子育ての方針に限らず、あらゆる情報について起こることです。普通にしていると誰もが陥りやすいものですから、バランスのとれた考え方をするためには、意識して自分とは別の考え方を知る努力が必要になります。

ただ、子育てに関してはとくに確証バイアスが働きがちになります。子育てや家族の中のことは、まわりが口出ししにくいからです。

「お子さんの話をもうちょっと聞いてあげたらいいんじゃない？」などと周囲の人が思ったとしても、口に出せば「余計なお世話」と言われるでしょう。「うちにはうちの方針があるから」と言われたら、何も言えません。虐待などよほどのことがない限り、外からの介入が難しいのです。虐待にしても、「これはしつけだ」と言い張られたら、簡単に介入できるものでもありません。

こうして、家族というある意味閉鎖的な空間の中で「うちの子にはこれがいい」と確信を持ってしまうと、他の情報が入ってこなくなります。

すると、どうなるか。子どもの発するＳＯＳにも気づかなくなります。

子どもは、「もっと自分を見てほしい」「認めてほしい」というときもそれをストレートに伝えることはなかなかできません。ちょっとした口答えや、やるべきことをやらなくなるなど、小さな変化で表現します。ＳＯＳはわかりにくいものなのです。確証バイアスが機能すると、こういった変化の意味を理解することなく、そのまま突っ走ってしまいます。そして、何かのきっかけで子どもは不満を爆発させます。

親の「よかれと思って」が非行・犯罪まで行き着くことになるのです。

もちろん、いまの子育て方針でうまくいくこともあるでしょう。問題ないのであればいいのです。ただ、**確証バイアスが働きやすいことは知っておいてほしい**と思います。

■一方的押しつけになっていないか考える機会を持つ

子育ての確証バイアスから抜け出すためには、「子どものため」と思ってやっているあれこれが**押しつけになっていないか、検討する機会を持つことが大事**です。難しく考える必要はありません。夫婦で、保護者間でよく話し合えばいいのです。自分以外の人の見方、考え方を知ることで、バイアスに気づけるかもしれません。家族の中でなら、思い込みに対する指摘もできるのではないでしょうか。

たとえば、妻は「子どもにはいろいろな習い事をさせたい。子どもの能力を伸ばすため、最初のきっかけは親が与えるべき」と思っているとします。一方で、夫は「習い事で忙しく、友だちと遊ぶ時間が減るのはかわいそうだ。このくらいの年齢の子にとって、自由に遊ぶ時間が何より大切だ」と思っている。

よくあるケースです。夫婦で話し合うことで、お互いに「確かにそういう考え方もあるな」と思い、ちょうどいいところを見つけられれば最高でしょう。子どもも、自分のために両親が話し合いながら考えてくれていると感じられます。話し合うというプロセス自体が重要です。

最悪なのは、それぞれが別の方針で子どもに向かうことです。

「お母さんはああ言っているけど、お父さんはこう思うぞ」と子どもに言う家庭がありがちですが、子どもは混乱します。ある程度までは「お母さんに見せる顔」「お父さんに見せる顔」と使い分けようとします。しかし、いつまでも続けられるわけがありません。子どもにとって大きなストレスとなり、いつか爆発することになります。

少年院に入った子の保護者に対するアンケートでは、子育ての問題として「夫婦の子育ての方針が一致していなかった」が高い比率で選択されています。

また、もっとも多いのは「子供に口うるさかった」というもので、母親の約7割がそのように回答しています。

非行少年の保護者が反省していること

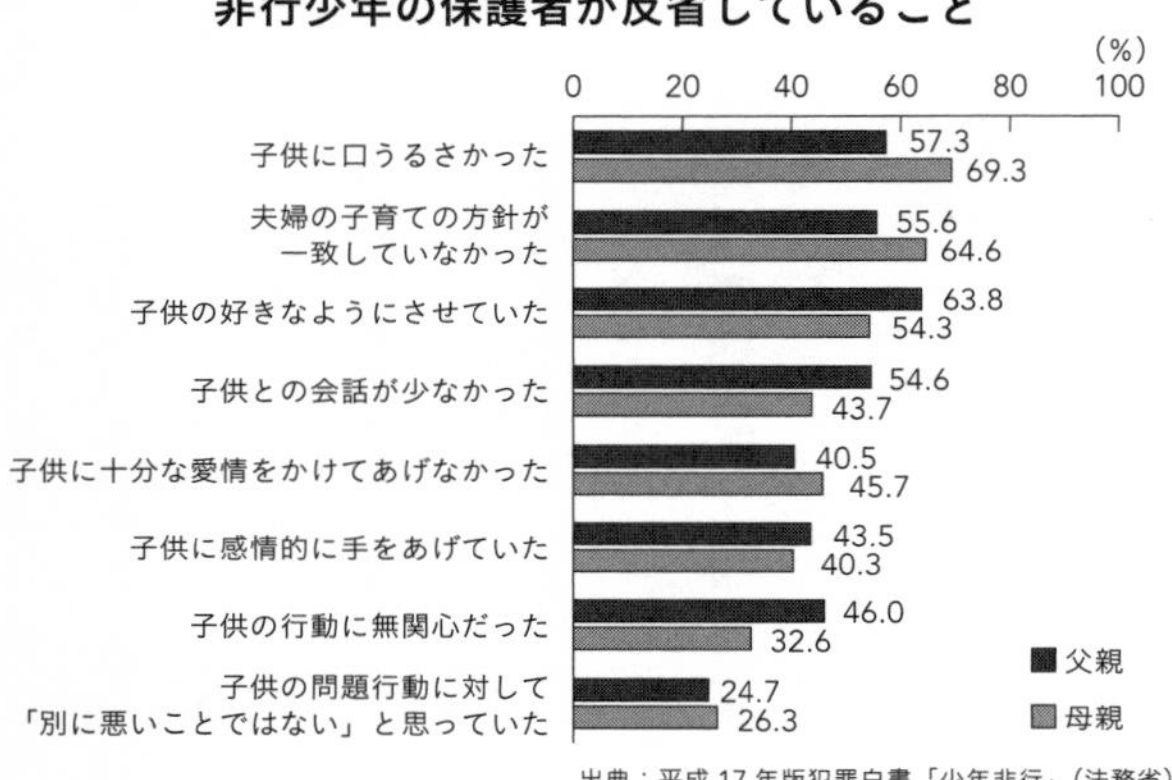

出典：平成17年版犯罪白書「少年非行」（法務省）

ここから読み取れるのは、子育ての方針が一致していないことを不満に思っている夫婦像です。「私は子どものためを思ってこんなにやっているのに、夫は協力してくれない。何もわかっていない」と思い、子どもへの口出しがエスカレートしてしまう。自分が指導しなくてはいけないと思っているのです。まさにバイアスが強化されています。

実際、私が面接で「お父さんとお母さんで話し合ったことはありますか」と聞くと「そんなもん話すわけないじゃないか」「この人に言ったって何も聞きゃしないいんだから」と不満そうに言う人は少なくありません。そして、お互いに「相手が悪い」と主張します。これでは、自分のバイアスに気づくどころの話ではありません。そのしわ寄せが子どもにいくわけです。

夫婦同士がお互いにもっと話し合い、自分と違う考え方も理解しようと少しでも努力をしていれば、こうはならないはずです。

問題なのは「一致していなかったこと」そのものではありません。

夫婦もそれぞれ違う人間ですから、価値観の相違は当然です。子育ての方針が一致しないなんていうことはいくらでもあるでしょう。むしろそれが普通です。**一致しなくてもいいから、話し合うことが大事**なのです。

ひとり親家庭で話し合う相手がいない場合は、公的機関に相談することをおすすめします。自分の親やきょうだいなどで親身になってくれる人がいればいいですが、意見が食い違うときに本当に話し合えるかといえば難しいのではないでしょうか。そのような場合には、専門家を頼るのが一番です。とくに問題が起きていなくても、「こういう子育ての仕方をしているが、大丈夫だろうか」と相談すればいいのです。

もちろん、自分の確証バイアスに気づくという意味では、セルフチェックもひとつの手です。本書ではセルフチェック法についてもお話しします。

方針を修正するときに大事なこと

親は子どもが自律的な社会生活ができるよう、指導する立場にあります。同時に、愛するわが子に「こうなってもらいたい」「こうやって活躍してもらいたい」という思いもいろいろあることでしょう。これが、「子育ての方針」になります。これまでお話ししたように親は確証バイアスに陥りやすいので、その方針を折(おり)に触れて見直すことが重要です。

とはいえ、誰もが子育ての方針を明確に持って子どもに向かっているわけではないと思います。自分自身がされてきたこと、体験をベースに何となくいいと思ってやっている場合も多いのではないでしょうか。そういう場合は、「子育ての方針を見直す」と言われてもピンとこないかもしれません。そして、何となくそのときにいいと思ったことを続けることになります。

また、いまは情報があふれている時代です。あの子育て法がいい、その子育て法がいいと次々に情報を得て、なかなか方針が定まらないと感じている人も多いようです。

このように、子育ての方針がいまいち明確でない場合も含めて、前提としてお伝えしたいことがあります。

それは、**親子の信頼関係こそが重要**だということです。

方針が頻繁に変わるのは良くありません。言うことがコロコロ変わる人のことを信頼はできないからです。さらに**良くないのは、子どもに黙って方針を勝手に変えること**です。なぜ変わったのかわからなければ、子どもは不信感を持ちます。

本文で紹介する犯罪の事例に共通しているのは、子どもが親に不信感を持っているということです。親への不信感に始まり、社会全体への不信感や疎外感を持っています。

子どもにとって、親を含めた「大人を信頼できない」というのはとても不幸なことです。少年院の先生は、「大人は敵ではない、信頼できる人もいる」ということを身をもって教えます。「信じていいんだよ」「大丈夫だよ」ということを伝えるのです。

信頼関係を築いたうえで、更生への道を示していきます。どんなに素晴らしい指導法であっても、子どもの側が大人のことを信頼できなければ効果がありません。

　そのため、更生プログラムを途中で変更する場合には必ず説明をします。心理分析をもとに丁寧に作った個別のプログラムも、ひとつの仮説にすぎません。実践の中で「方針を変更したほうがいい」「この部分を変えたほうがいい」と思われるケースは出てきます。

　そういうときは、「実はこういう仮説をもとに方針を立て、ここまでやってきたけれど仮説が間違っていたようだ。だから、こういうふうに方向転換します」ときちんと話をしてから方針を変えるのです。勝手に変えたりすれば子どもは混乱し、信頼関係も壊れます。勝手に変えるくらいなら、変えないほうがマシです。そのくらい、不信感に対して敏感に対応しています。


　たとえば、「お兄ちゃんなんだからしっかりしなさい。きょうだいのお手本になりなさい」と言ってきたけれど、それが子どもにとって大きなプレッシャーとなっていることに気づいたらどうしたらいいでしょうか。

急に「まわりを気にせず、もっと自分のやりたいようにやっていいんだぞ」と言い始めると、子どもは混乱します。「今まで言っていたことは何だったの？」と不信感を持つでしょう。

「これまで、兄としての役割を期待することばかり言ってごめんなさい。それがプレッシャーになっていたのなら申し訳ないことをしたと思う。私はあなたの幸せを思っているから、もうそういうことを言わないように努力をする。きょうだいそれぞれに個性があるし、それを発揮してほしい……」

ちゃんと向き合って話をすれば、大丈夫です。こうやって話をしてくれる親のことを子どもは信頼できるはずです。

子どもが小さいと「話してもわからないだろう」と思うかもしれませんが、そんなことはありません。もちろん、細かい理屈はわからないでしょう。でも、言わんとしていることはわかりますし、何より、きちんと自分に向き合おうとしてくれることを感じとり心から安心します。ちゃんと説明してくれているということが大事なのです。

親だって間違うことがあるし、それを恥じる必要はありません。完璧な人間はいないのです。

もしも、子どもに言っていたことが間違っていた、もっといい方法に変えたいと思ったら、ごまかしたり面倒だからと省いたりせずに、説明することが大事です。信頼関係さえあれば、人生の中で起こるさまざまな危機を親子で一緒に乗り越えていけるはずです。

第1章

「みんなと仲良く」が個性を破壊する

ワタルのケース

罪状　窃盗（万引き）
仲間と共謀し書店で雑誌26冊を盗み取った

ワタルはごく普通の中学2年生。成績は中くらいで、クラスの中ではみんなと仲良く付き合い、のけものにされたりいじめられたりしたこともない。部活はサッカー部。小学生の頃から地域のスポーツ少年団でサッカーをしており、レギュラーポジションを獲得していた。

そんなワタルの悩みは、自己主張ができないこと。両親からは「みんなと仲良くしてね」と言われ続けてきたので、人の顔色をうかがうのが常となり、自分の意思表示をする前に「人はどう思うだろう」と考えてしまう。小学生のとき、サッカーチームでおそろいのユニフォームを作りたいと両親に話したところ「出しゃばらなくてもいいんじゃない」と言われたことがきっかけで、思ったことを言うのが怖くなった。

その後も、何か提案しようとすると「○○君家（ち）の意見も聞いてからにしないと」などと否定され続けた。こうしてワタルはやりたいことがあっても「どうせうちの親は賛成してくれないだろう」と考え、積極的になれなくなっていた。

中学2年生になって、小学校時代から苦手なシンジと同じクラスになった。シンジは自分の意見を持っていてハッキリものを言うリーダータイプ。同じサッカー部では次期キャプテンと言われている。シンジは何かにつけてワタルにつっかかり、「言いたいことがあるなら言えよ」とけしかけてくるのだった。

「いや、別になにもないよ……」

衝突を避けようとするワタルがかえって気に障(さわ)るのか、シンジの行動はエスカレート。サッカーのプレイ中にわざと足をひっかけてきたりする。ワタルのストレスはたまる一方で、部活も休みがちになっていった。

「何か悩みがあるんじゃないか?」

放課後の教室でぼんやりしていたとき、ちょっと不良っぽくてかっこいいミツヤが声をかけてくれた。ミツヤは運動会では応援団長をつとめるタイプで、みんなが一目置く存在だ。ワタルははじめて心の内を明かした。

「本当はシンジが嫌いなんだ。でも、親にそんなことは言えないし、誰にも言えなくて」

「なんで親に言えないの？」

「みんなと仲良くできない子はダメなんだって。弟も見てるからって」

「そっか……。オレは嫌いなヤツがいてもいいと思うけど」

ワタルは話を聞いてくれたミツヤになつくようになった。ミツヤから「今度一緒に万引きしない？」と誘われたときは、悪いことをするというより「ミツヤ君と秘密を共有する」という感覚が強く、躊躇（ちゅうちょ）せずに誘いにのった。

実はミツヤは万引きの常習犯である。

お金に困っているわけではないが、スリルを楽しむためにゲーム感覚で万引きを繰り返していた。最初はひとりでやっていたが、さらなるスリルを求めて仲間と盗んだものの量を競うようになっていた。メンバーの中では「盗ったものは売らないよ。量を競争するゲームなんだし。あとで返せばいいんだから」などと非行の正当化がされていた。実際、読みもしない雑誌や本を盗んで、ただ家に積んでいるのだ。

そしてワタルもミツヤの仲間数人と大型書店で本を万引きし、それが常習化していった。

「みんなと仲良く」のウラにあるもの

ワタルは両親から「みんなと仲良くしなさい」と言われ続けたために、自己主張ができずストレスをためていました。両親は「協調性が大事」という価値観を持っていたようです。この価値観自体は何も悪くありません。

ただ、すべてにおいて協調性を優先し、ワタルの気持ちを聞かなかったのが良くありませんでした。「みんなと仲良く」＝「個性を抑えろ」というメッセージになってしまっていました。ワタルにとって決定的だったのは、「チームでおそろいのユニフォームを作りたい」という希望を親に伝えたとき、「出しゃばるな」と言われたことです。「自分の希望を言ってはいけないのだ」と思うようになってしまいました。

ワタルは一見、みんなと仲良くできており、学校生活に問題はないように見えます。しかし、シンジを嫌い、仲良くしたくないという悩みを抱えています。大人からすれば大したことないように思えるかもしれませんが、本人にとっては大問題です。部活を休みがちになったというのは、ワタルからのSOSです。この頃の様子は確実に違ったはず。

両親がそれに気づいて話を聞いてあげることができればよかったのですが、声をかけたのは万引き癖のあるミツヤでした。はじめて本音を聞いてもらえたことで一気に仲が深まり、あっというまに万引きグループに入ったのです。

「普通の子がなぜそんな非行を」とまわりは驚いたのではないでしょうか。でも、自己主張することを許されずに、**周囲の反応をうかがいながら生活している子は、自己決定する力が弱い**のです。人に合わせることは得意でも、人を批判的に見ることができないので、「これは悪いことだからやめておこう」という判断もできなかったのです。

みんなと仲良くできるのは理想かもしれません。しかし、大人が子どもに向かって「仲良くしなさい」というとき、そのウラには大人側の都合が隠れていないでしょうか。トラブルが起きたら面倒くさいことになる、だから仲良くしておいてほしい。こういった大人側の都合で言っていることは子どもにもわかります。そして、自分は大事ではないのだと感じます。

子どもだって仲良くしたいと思っているでしょう。でも、そうできない理由があるから困っているのです。**仲良くできないなら、どうすればいいのか考えようというスタンスで話を聞くのがいい**のです。

今回の事例では、ユニフォームの提案があったときに、まずは話を聞いてあげるべきでした。「どうしてそう思うの？」と考えを聞いたうえで、「お父さんやお母さんは、まわりの人の意見がどうなのかが気になるんだ」「意見がまとまらずにこの話が長引くと、ワタルがサッカーに集中できなくなるんじゃないかと心配してるんだ」というように、親の考えも話せばいいのです。

最終的には親の考え通り「今回はやめておこうか」となったとしても、ワタルは自分の意見を言ってもいいんだと思えるはずです。

また、シンジと仲良くできない悩みをワタルは親に話すことはできませんでしたが、もし相談してくれたなら、とにかく話を聞くことです。頭ごなしに「仲良くしなさい」なんて言ったら最悪です。「そんなヤツと付き合うのはやめなさい」と言うのも同じようにダメです。親が指示することではないのです。

さらに言うと、「私が話をつけてくる」と相手の親や学校に言いに行くのも解決になりません。子どもに頼まれたならともかく、親が勝手に話を進めれば、子どもは気まずいに決まっています。

「みんなと仲良く」と「差別しない」は違う

「みんなと仲良く」は、言ってみれば「きれいごと」です。周囲の人みんなと本当に仲良くできている人がいったいどれほどいるでしょうか。大人だって、苦手な上司がいたりソリの合わない同僚や部下がいたり、「あいつはどうにも好きになれない」と愚痴っているではありませんか。いろいろな価値観や立場の人がいるから、自分と合わない人がいて当然です。相手に無理に合わせれば、こちらがまいってしまいます。**合わない人に合わせる必要はないし、仲良くする必要もない**のです。これは、「差別をしてはいけない」とは別の話です。

差別とは、その人の属性によって不当に低く扱うことです。たとえば学校のクラスに外国人の子がいて、その子を「学級委員にはしない」などのように特別扱いをしたら差別です。

人間は人種や民族、性別などを越えて、万人が幸せに生きる権利を生まれながらに持っています。当然、人権を守ることは大切です。子どもに対しても、一人ひとりが大切な存在であり、不当に扱ってはいけないことを教えなければなりません。

しかし、人権を守ることと「みんなと仲良く」は違います。仲良くできない人がいてもそれ自体は何の問題もありません。むしろ、**仲良くできなさを何とかしようとしてトラブルになることもある**のです。

心理的距離のとり方を学んでいく

身のまわりにいる人が好きな人ばかりだったらいいのですが、そうでないことだって多いもの。嫌いな人がいるのも普通のことです。好き嫌いの感情をなくすことはできません。大切なことはそれを認めたうえで、嫌いな人とどう付き合うかです。そのときにカギになるのは「**心理的距離のとり方**」です。

物理的には近いところに嫌いな人がいても、心理的に距離をとって付き合えばストレスが少なくなります。極端な話、「近くにいても、心は何億光年も先の星」というくらい遠いつもりで、当たり障りなく付き合えばいいわけです。

……と言うのは簡単ですが、実際には非常に難しいのがこの「心理的距離のとり方」です。相手がいるので、こちらがいくら距離をとっても相手がつめてくるかもしれません。すると、それに引っ張られてこちらも近い距離で考えてしまう。結果として、ストレスをためることになります。

以前、ご近所トラブルを起こしていた方の心理分析を担当したときの話です。その方は毎日のように鍋を打ち鳴らして騒音を出し、ゴミをまき散らして住宅街を汚していました。近隣住民からは総スカンをくらい、ますます迷惑行為がひどくなります。

心理分析をすると、実は近所の人と仲良くしたいという気持ちからこじれていたことがわかりました。仲良くしたいと思って話しかけたのが、無視されたとか誤解されたという些細なトラブルになったのがきっかけです。その方は仲良くできないつらさを受け入れられず、迷惑行為として表出（ひょうしゅつ）させてしまったのです。

その方にしても、トラブルとなったご近所さんにしても、心理的な距離をうまくとることができていれば大きな問題には発展しなかったことでしょう。近所に住んでいるわけですから、もちろん物理的には近く、しばしば顔を合わせることになります。

しかし、心理的距離が遠ければ相手のことはさほど気になりません。顔を合わせたら挨拶をし、困っている様子があれば声をかける。そのくらいの距離感であればお互いに心地よい関係性になれます。やり取りの中で自然に距離が近くなることはありますが、どちらか一方が急に濃厚な人間関係を求めて距離をつめて親密になろうとしたりすると関係がうまくいかなくなります。

このように、バランスをとることができずにエスカレートしていくご近所トラブルは多いです。「顔を見るのもイヤだ！」とストレスを爆発させるのは、心理的距離が近すぎるのです。

さまざまな人間関係を経験してきた大人は、このバランスをとるのが上手です。相手に合わせるのでなく、かといって相手を変えようとすることもなく、ちょうどいいコミュニケーションをとることができます。

一方、経験の少ない子どもにとっては難しいことです。だからこそ、失敗もしながら経験を増やしていくことが重要です。

ワタルにとって、苦手なシンジとどう付き合っていくかは、良い学びにもなったはずです。これも親が指示をするのではなく、本人が考えることが重要です。「シンジが嫌いだ」という相談があったなら、話をよく聞きながら「どうしてだと思う?」「相手はどう思っていると思う?」というように子どもが自分で考えるためのサポートをすることです。

きれいごと教育の問題点

「みんなと仲良く」のようなきれいごとを押しつけると、必ず問題が出てきます。実際にはできないので、ギャップに苦しむからです。子どもは「みんなと仲良くできない自分はダメだ」と思ってしまいます。「みんなと仲良く」と言っている大人ができていないのだから、不信感にもつながるでしょう。

「嘘をついてはいけない」もそうです。

詐欺のように人を騙(だま)して不当に利益を得たり、嘘をついて相手を傷つけたりするようなことはしてはいけません。しかし、誰しも小さな嘘ならついたことがあるはずです。「私は嘘をついたことがない」なんて言ったら、それこそ大嘘ではないでしょうか。

人を傷つけないためにつく嘘もあります。自分を守るためにつく嘘もあります。嘘は全部ダメだと言ってしまえば、実際に嘘をついてしまったときに困ることになります。一度ついた嘘を訂正することができず、嘘を重ねなければなりません。

日本テレビ『ザ！世界仰天ニュース』の中で私がコメントをした事件のひとつに、「見栄を張りたくてついてしまった小さな嘘が…可愛い後輩の命を奪う」（２０２２年４月19日放送）というものがありました。

事件を起こしたのは、面倒見がよく、後輩から慕（した）われることの多かった30代の男。感染症がきっかけで足を失い、仕事ができなくなったところから始まります。男が足の手術で病院に入院中、仲良くなった大学生がいました。大学生は、この優しく面倒見のいい男を慕っていろいろ話しかけてくれます。

あるとき男はこの大学生に対し見栄を張って、「ネットビジネスで稼いでいる」と嘘をついてしまいます。本当は、ネットビジネスに手を出したものの、失敗して借金を抱えているというありさまです。

最初は小さな嘘でした。しかし、これを訂正することができず、嘘に嘘を重ねることになります。大学生が「バイト先なくなっちゃったんですよ」とお金に困っていることを話すと、「じゃあ、うちの仕事手伝う?」と何の根拠も実態もないことを言ってしまう。

にっちもさっちもいかなくなり「この後輩を殺すしかない」と思い詰めます。そして、10歳以上年下の大学生を殺害して財布から9万円を奪うという強盗殺人を犯し、無期懲役の判決がくだされました。

この男を実際に心理分析したわけではありませんが、類似した多くのケースを見て感じるのは、小さな嘘も「訂正したら嘘つき呼ばわりされるだけでなく、自分の全人格が否定される」という恐怖心を持っているということです。

「ごめん、かっこつけたくて嘘ついちゃった。本当はネットビジネスで失敗して、借金があるんだ」と言えればよかったのに、そんなことをしたら自分が全否定されてしまうように感じている。歪(ゆが)んだ自己顕示欲がその背景にはあるのです。

要するに、こういう人は自分に自信がありません。仲良くなった相手も、おごってあげたり仕事を紹介してあげたりしないと、その人に好きでいてもらえる自信がないのです。

この例からもわかるように「嘘をついてはいけない」とだけ教えられた子は、遅かれ早かれ苦しむことになるでしょう。「**あれは嘘でした、ごめんなさい」と言えることが大事**です。間違ったら修正すればいいのです。誰しも間違うことはあるのだし、間違ったからといって人格的な価値が下がるわけではありません。

嘘を告白し、訂正するのには勇気がいります。もし**子どもが「嘘でした、ごめんなさい」と言えたらその勇気を褒めていい**と思います。

また、大人が嘘をついたとき、適当にごまかせば不信感につながります。「こういう理由で嘘をついてしまいました。ごめんなさい」と伝えたほうがいいのです。

■役割で育てない——「お兄ちゃんだから」はいい迷惑

「お兄ちゃんだから、我慢しなさい」

「お姉ちゃんだから、やさしくしなさい」

役割を押しつける言葉は、個性をつぶしかねません。「男だから泣くな」「女だから控えめにしろ」と性別で役割を期待するのも同じです。本人の性質を無視したこういった言葉が重たい鎖になって自由を奪い、耐えきれず非行に走った少年たちを多く見てきました。

38ページで紹介した事例に出てきたワタルも「お兄ちゃんだから、弟のお手本になれ」と言われて、それが大きなプレッシャーになっていました。情けない姿を家族に知られたくないと思っていたのです。

出生順位や性別は本人が望んだわけではありません。偶然の結果です。それを強調されて「〇〇だから」と言われても、本人にとってはいい迷惑です。

役割を期待する声かけは、期待にこたえようとして頑張る「いい子」ほど、苦しむことになります。自分自身を抑え、役割を演じようとすればどこかに無理が生じるものです。親からの期待を嬉(うれ)しく思う気持ちもあります。きょうだいのお手本になろうと勉強もするし、習い事なども頑張る子は多いです。

しかし、うまくいかなくなったときに一気に自信を失ってしまう。そして、何かのきっかけで爆発してしまうという例がよくあります。

本人の性質・個性に基づく期待ならいいのです。「みんなの話を聞いてまとめるのが上手だから、リーダーとして頑張ってほしい」といった期待は、個性を伸ばすことにつながるでしょう。

しかし「お兄ちゃんだから」「お姉ちゃんだから」といった言いまわしは個性をつぶします。外発的な要因で期待する声かけは、良い結果を生みません。

家庭の中でも起こる「刑務所化」

「みんなと仲良くしなさい」にしろ、「誰々と付き合うのはやめなさい」にしろ、子どもの気持ちを無視して親が指示し続ければ、子どもは自分で考えることをやめてしまいます。

刑務所ではよく「**プリゾニゼーション**（**刑務所化**）」という言葉が聞かれます。刑務所での生活に慣れてしまい、個性や積極性を失うことです。刑務所では常に職員の指示に従って行動することが求められますから、それに適応した結果です。1～2年ならそれほどでもありませんが、10年も入っているとプリゾニゼーションにより社会生活を送ることが難しくなってしまうのです。

宮城刑務所に勤務していた頃、長期刑を終えて仮釈放となった者を仙台駅まで送り届け、新幹線に乗せる「乗車保護」という仕事がありました。長く刑務所に入っていると、切符を買って電車に乗るということも、前とはシステムが違う場合もあり難しいので指導するわけです。

あるとき、仙台駅でひとりの出所者に飲み物を買ってあげようと「ここで待っていなさい」と言い売店に行きました。売店から戻ると、彼はホームの壁に向かって手を後ろに組み、目を閉じてじっと待っていました。「何やっているんだ」と聞くと「待てと言われたんで……」。笑い話のようですが、こういうことが本当に起きます。

自分で判断せず、人に言われたことを行うばかりでは社会生活ができません。刑務所から社会に戻る際には、出所後の行動や生活についてシミュレーションやトレーニングも必要になります。

待てと言われて、直立不動で待っていた出所者ほどではなくても、刑務所に長くいると自主性が失われやすいのは事実です。これと似たようなことは家庭の中でも起こりえます。親が高圧的な態度で接し、**子どもの意見を無視していれば、家が刑務所化するわけです**。

協調性のある子と自己主張できる子

協調性を大事にしたいと考えている人は多いでしょう。日本人に特徴的な価値観のひとつであり、これ自体はいいことだと思っています。私自身も周囲と協調しながら作られた場が心地よく感じます。協調性がある、周囲に合わせることができるというのだって、ひとつの能力です。

ただし、**グローバル化が進む現代ではとくに、自己主張できないのはマイナスになる**と感じます。

私は法務省時代、国際連合の研修に参加し、世界各国の優秀な官僚たちと議論をしたことがありますが、それはもうすごい経験でした。模擬国際会議で各国の猛者（もさ）たちが激しい主張を繰り広げます。人の話を遮ってでもガンガン主張するのです。

私を含めた日本人は圧倒されてしまい、たいして主張することができませんでした。主張したいことがなかったわけではありません。これも私たち日本人が自己主張に慣れていないということでしょう。

国際社会では、相手の話も聞きながらしっかり自己主張をするという感覚を身につけなければ、太刀打ちできないだろうと感じました。せっかくいいものを持っていても、表現できなければわかってもらえません。もったいないことです。

日本において、協調性を大事にする価値観は簡単には変わらないでしょう。これ自体が決して悪いものではないことは強調しておきたいところです。ただ、**新しい時代に活躍する子どもたちには、大人が新しい価値観を受け入れる姿勢で向き合う**ことが必要です。

自分の意見を臆さず言える、自己主張ができるのは長所です。協調性があるのも長所。どちらも褒めてあげてください。

■短所をひっくり返せば長所になる

親はわが子に対して、自分の価値観と合わないところを短所として見てしまいがちです。協調性が大事と思っているのに、子どもの自己主張が強いと「もっと空気を読みなさい」「自分のことばかり言わないでまわりのことを考えなさい」と言ってしまうのではないでしょうか。

しかし、自己主張できるのは長所でもあります。自分で考え、それを伝えることができるのですから素晴らしいことです。

逆に、自分の考えを言えるのが大事という価値観であれば、協調性の高い子に対し「自分の意見を持ちなさい」「人に合わせてばかりは情けないよ」と言うかもしれません。

しかし短所だと思っているところは、長所でもあるのです。

この**「短所＝長所」の言い換えができると、子育てはラクになります。**短所として注目すると心配で、子どもに対してもつらくあたってしまいがちですが、叱られてばかりでは子どもは萎縮（いしゅく）してしまいます。叱るほうもつらいでしょう。

「まったくアンタは先のことを考えずすぐに行動するんだから」と短所としてとらえていることも「普通だったらいろいろ考えちゃうところを、パッと決めてすぐできるんだからすごいよね」と言い換える。どちらもまったく同じ性格特性についてコメントした言葉なのです。長所も短所も、ある特徴をどうとらえるかという話です。最初は頭を使わないとできないと思いますが、習慣になれば難しいことではありません。

少年院の先生は、ポジティブに言い換えるのがとても上手です。相手は非行少年なので短所として目立つ部分があるわけですが、それをひっくり返して伝えてあげます。たとえば「やることなすこと全部遅い」と言われてきた子に「慎重に考えながら行動できるのがいいところだよね」。

「飽きっぽくて長く続けられたためしがない」と言われてきた子に「いろいろなことに興味を持てるのがいいところだよね」。

本人たちも短所だと思っているので、こう言われて驚きます。はじめて受け入れてもらえたと感じ、自分でもポジティブな見方ができるようになります。

もちろん、ある特徴が原因で問題が起きているのであれば、それを指摘してあげることは重要です。事態を理解しなければ、改善点も見つかりません。そして、一緒に改善する方法を考えることが大事です。しかし、「おまえはいつもこうだ」と指摘し続けることに意味はないのです。

ダメ出し＆フォローが個性を引き出す

子どもに「また新しいことやりたいって言うの？　どうせ続かないじゃないの！　あんたは本当に飽きっぽいんだから！」というようにガミガミ言ってしまったとします。短所の指摘です。これは、親としてはどんなに気をつけていても出てしまうと思うのです。しまった、怒ってしまった！　ヤバい！　そうしたら、すかさず長所への言い換えをしてみてください。

「でも、そうやって次々によく見つけてくるよね。いろいろなことに興味を持てるのがいいところだと思うよ」

こうすれば、子どもは短所の指摘は受けつつも、自分のことを認めてくれていると感じるでしょう。

ダメ出ししたら、フォローを忘れない。これだけで大きな差が出ます。

ダメ出し&フォローは、相手の個性を発揮させるコミュニケーションにもなります。テレビ番組の人気MCは、これがとても上手だと感じます。出演者に明るくダメ出しをし、その後フォローすることで、その人の個性、良さを引き出しているのです。出演者は一度落とされているので謙遜（けんそん）することもなく、自由に振る舞いやすくなります。その状態で、「やはり、すごい人だ」「素敵な人だ」と持ち上げてくれるので良さが引き立つのです。

長所を見つけて褒めるのももちろんいいのですが、愛のあるダメ出しだって嬉しいものです。親や指導者はとくに、短所を指摘することも必要です。

家族の中で「またこの短所が出ちゃったね」とダメ出ししたあと、フォローで個性を発揮させると考えてみてはどうでしょうか。

ほどよいセンセーション・シーキングで興味を伸ばす

子どもは好奇心が強く、いろいろなものに興味を持つものです。その中で、とくにどういうものに興味があるかには個性があります。昆虫採集ひとつとっても、珍しい昆虫を見つけることに興味がある子もいれば、コレクションしていくことに興味がある子もいます。昆虫にまつわる知識に興味のある子もいます。

親は子どもを注意深く観察し、わが子の興味を伸ばしてあげることが大切だと思います。興味を追求していけば、その子の個性や才能が発揮されるようになるでしょう。

逆に、子どもの興味を押さえつけてしまうと問題が出てきます。ひとつの心理学的な説明が「**センセーション・シーキング**」です。センセーションとは「刺激」、シーキングとは「求め続ける」という意味です。センセーション・シーキング自体は誰もが持っていて、これがあるから新しいことに挑戦したり、人生を豊かにしたりしていけるという面があります。ただ、これが良くない方向に出てしまうと大変です。

38ページからの事例に登場したミツヤは、センセーション・シーキングによって万引きを繰り返していました。刺激を求めて万引きをし、それが面白くて仕方ないのです。大人の窃盗は多くがお金目当てですが、子どもの万引きはそうでないことのほうが多いです。心理的な何かを求めて、具体的な何かを盗む。ミツヤのように、スリルを求めてゲーム感覚で万引きをする子も多くいます。

実際、書店での万引きは多く、読みもしないのに仲間と競い合って本を盗むのです。最初は「一度だけなら」「すぐ返せばいいし」などと考えていますが、一度刺激的な体験として味わうと、もっと強い刺激を求めるようになり、歯止めがかからなくなります。次第にやることが大胆になり、捕まってやっとやめることができます。

私は何度もそういった非行現場の防犯カメラ映像を見ましたが、大きな袋にガバガバと盗ったものを入れている様子や、重たい袋を引きずるようにしている様子を見て、「こんなのバレるに決まっているだろう」と思わずツッコミを入れました。コントでもやっているかのようです。本人たちはスリルを求めているから、ギリギリのところを狙っているうちに大胆になっていくのでしょう。

ミツヤも、最初は自分ひとりでこっそり1冊、2冊を盗んでいました。すぐにそれでは物足りなくなり、仲間を引き入れます。2~3人で、「たくさん盗めたほうが勝ち」というゲームにしました。これが面白くてたまりません。

さらなる刺激を求めて新しい仲間を探していたところ、浮かない顔をしているワタルを見つけたのです。万引きなんて考えたこともなかったワタルですが、あっというまに常習化することになりました。


なぜ、センセーション・シーキングが悪い方向に向かってしまうのでしょうか。

非行少年たちに言わせると、「普段の生活がつまらないから」。自分の興味関心をのびのびと追求することができておらず、抑圧されていることが背景にあるのです。

子どものセンセーション・シーキングを親が認め、応援してあげていれば、間違った方向に向かうことはありません。**普通の遊びや部活、習い事、勉強にハマることで、センセーション・シーキングを満たすことができる**のです。

大切なのは、子どもの興味を否定しないことです。親からすると「それを追求しても意味ないんじゃない?」「もっとこっちのほうが役に立つんじゃない?」と言いたくなるかもしれません。「こっちも面白そうだよ」「好きそうだよ」と上手に導いてあげることができるなら、それはそれでいいでしょう。ただ、無理強いしてはいけません。

とくに子どもは、常に新しい刺激を求めるものです。「これが面白そうだからやってみたい」「もっと知りたい」といった気持ちを応援してあげてほしいと思います。興味関心を追求することが、子どもの個性や長所につながっていくのです。

第2章

「早くしなさい」が先を読む力を破壊する

ユカのケース

罪状 業務上横領
勤務する会社の金約300万円を
自己の銀行口座へ振り込んで横領

ユカの父親は38歳のときに独立して以来、夫婦で小さな鮮魚店を営んでいた。小学校高学年にもなると店の手伝いをするのが当たり前となり、サークルや部活に入ることもなく、毎日学校から帰ってきては店頭に立った。とくに夕食前の時間帯は店が忙しく、ユカがいなければまわらなかった。

「ユカ、次はこれ。早くな」

お客さんには愛想(あいそ)のいい父だが、ユカには厳しかった。せっかちで、常に「早くしなさい」「次はこれをしなさい」と指示をしてくる。思い通りにいかないと手が出ることもあり、母親は自分に火の粉が降りかからないように見て見ぬふりをすることが多かった。自分を助けてくれない母親を恨んだが、どうすることもできない。

そんな生活の中で、ユカはいつも目先のことをどうやり過ごすかが重要だと考えるようになっていった。

高校を卒業すると、地元の大学を避けて東京の大学へ進学した。とくに学びたいものがあったわけではなく、両親のいる店から逃れたかったからだ。両親は学費の援助はしてくれたが、生活費は自分で何とかする必要があったため、ユカはアルバイトをかけもちして働いた。しかし、とにかく両親から離れたことが嬉しく幸せだった。

大学ではとくに目標を持つこともなく、講義には遅刻ばかりしていたが、なんとなく乗り切れればそれでいいと思っていた。

いくつかのアルバイトの中でユカが気に入ったのは、ある会社の経理の仕事。せかされることもなく自分のペースで仕事ができ、ミスをしても自分でごまかせる。しかも、アルバイトの身でありながらかなりの金額の出納を任されることが醍醐味（だいごみ）となり喜びとなった。

大学3年生のとき、同じ大学内ではじめて恋人ができ、ほどなくして同（どう）

棲するようになった。彼は大学院へ進み研究者を目指していたが、博士課程を終えてもなかなか就職ができない。ユカは大学を卒業してから食品会社に就職し、彼との生活を支えるようになった。最初に配属されたのは営業系の部署。先を読みながら行動することが苦手なユカは成績を上げることができず、事務系の仕事へ異動の希望を出した。

3年目からは希望通り経理の仕事に就くことができた。アルバイトの経験もあったので飲み込みが早く、徐々に任される範囲が大きくなってきたときのことだ。

「ユカ、ごめん。もうダメだ。借金が……」

同棲中の彼は涙ながらに告白した。就職できないストレスからギャンブルにハマり、相当な額の借金を抱えていたのだ。闇金融に手を出さざるをえない状況だという。

ユカは「私が何とかするから」と言って彼をなぐさめた。けれど、あてがあるわけではない。そこで思いついたのが勤務先の会社の金を横領することだった。経理の仕事を任されていたユカは、「いつか返すから」「一時的に借りているだけ」、そんな言い訳を心の中でしながら帳簿を操作。少額ずつ自分の銀行口座に送金するという大胆かつ稚拙（ちせつ）な犯行を繰り返した。

横領を始めて3年目、会計監査により犯行が発覚することとなった。

「こんなはずじゃなかった……」

ユカはがっくりと肩を落とした。

犯罪者に欠けている事前予見能力とは？

ユカは、小さな頃から将来の夢や目標を持つことがなく、目の前のことをどうするかばかり考えていました。とくにやりたいこともありません。ただ、もともと真面目で器用なので、目の前の仕事に取り組めばそれなりの成果を出すことができます。それで、なんとなく「いまが良ければそれでいい」という気持ちで過ごしていました。

まわりからは、取り立てて問題があるようには見えません。会社の上司も、「飲み込みも早いし、真面目にやってくれているから安心だ」という感覚だったのでしょう。

社内の信頼を得て、業務範囲も広くなってきた矢先です。会社のお金を約３００万円も横領したのです。しかも、特別な細工をすることはなく、直接自分の口座に振り込んでいました。あまりにも稚拙に思える犯行です。会社のお金に手をつければ、いずれ発覚して検挙されることくらいわかりそうなものです。恋人の借金を返すためとはいえ、「もっと他に方法があるだろう」と言いたくなります。

なぜ、こんな犯罪に向かってしまったのでしょうか。

非行少年の面接を行っていると「そんなことをしたら、すぐに捕まることくらいわかるだろうに」と思うようなケースはたくさんあります。彼らに共通しているのは「**事前予見能力の乏しさ**」です。つまり、「そのときだけ楽しければいい」「そのときだけ苦痛から逃れられればいい」といった短絡的な思考に支配されているのです。

事前予見能力とは、非行・犯罪臨床の中でよく用いられる言葉で、いわゆる「**先を読む力**」のことです。少年非行の場合は、今現在の置かれた状況を理解する現実吟味能力も乏しいのですが、さらに乏しいのが、この事前予見能力になります。

私たちは通常、先を読みながら行動をしているものです。現在の行動がこの先どのような結果につながるのかを考えて、行動の方針や方法を決定しています。たとえば、いま電車に乗るのは「1時間後にどこどこへ到着する」という未来のための行動です。電車に乗るために動いているわけではありません。

時間軸をもう少し長くしてみましょう。いま電車に乗っているのは大学に行くためですが、大学に通って勉強しているのは、卒業後に教員になるため。こんなふうに、現在の行動が未来につながることを考えているわけです。いま電車に乗らなければ、どうなるか。今日の授業に間に合わないとどうなるか。先を読む力があれば、わかることです。

しかし、現在から将来へのつながりを考えることができず、短絡的な行動をしてしまうケースがあるのです。ユカもそうでした。

もちろん、ユカは自分がやっていることが犯罪だとわかっています。見つかれば大変なことになるのも理解しています。ただ、事前予見能力が育っていないため、極端に現在を優先するのが問題です。「いまが良ければそれでいい」と行動してしまうのです。

「早くしなさい」はなぜダメなのか

「早くしなさい」
「さっさと片付けなさい」
「いい加減、支度しなさい」

子どもに対し、このような急がせる言葉を言ってしまう人は多いと思います。しかし、小さい子どもはみな事前予見能力が育っていませんから、なぜ急がなければいけないのかわかりません。

事前予見能力は生まれながらに持っているものではなく、発達の中で身につけていくものです。親は「急がないと学校に遅刻してしまう」「約束の時間に間に合わなくなってしまう」と必要性を理解しているわけですが、子どもには難しいのです。

ですから、「学校まで歩いて15分かかるから、8時には出ないと朝の会に間に合わないよね」「8時に家を出るためには、どうしたらいいかな」というように、早くするべき理由を伝えて考えさせなければなりません。

これが、事前予見能力のトレーニングになります。

ユカは、父親からやみくもに「早くしなさい」と言われて育ちました。早くするべき理由を説明しなかったのが良くなかったと言えます。「すぐやれ」「早くしろ」ばかりでは、自分で急げるようにはなりません。「早くしなさい」と言われればその場で何とかしようとはします。しかし、自分で判断することはできないままです。事前予見能力が育たず、常に場当たり的で後先を考えない刹那(せつな)的な思考になってしまいます。

「いつも16時くらいからお客さんが増えて忙しくなるから、その前にこれを終わらせておいてほしい」

「足りなくなると困るから、早めに発注しておいてほしい。発注して届くまで2~3日かかる場合があるんだ」

こんなふうに、なぜ急いでほしいのか説明するべきでした。忙しくて丁寧に説明することができなければ、あとからでも理由を伝えて、本人に考えさせなければなりません。**急ぐ必要性を理解することで、自分で時間を見ながら動けるようになる**でしょう。

本人に考えさせるという意味では、「いつやる?」「いまは何をする時間?」のように問いかける声かけはいいと思います。

親は忍耐力がいりますが、事前予見能力を育てるためにはこのひと手間ふた手間が大事なのです。

少年院の先生は、常に本人に考えさせる声かけをします。「この間も言っただろう。

早くやれよ！」なんて言ったりしません。「どうしていまこれをやらなきゃいけないんだと思う？」と繰り返し問いかけながら物事を進めます。とくに事前予見能力が乏しい少年たちですから、「早くやれ」と言って何かをやらせたところで社会への適応がうまくいかなければ意味がありません。

逆算して考える習慣づけ

事前予見能力を育てるためには、日常の中で「**逆算して考える**」ことをさせればいいのです。大人は自然にやっていることですが、子どもは現在に集中しており、将来の目標から逆算することに慣れていません。

たとえば、夏休みの宿題を終わらせることを逆算して考えます。

「夏休みの宿題、いつまでに終わらせる？」

「夏休みは8月31日までだけど、30日までに全部終わらせる！」

「じゃあ、どのくらいのペースでやればいいか考えてみようか」

「計算ドリルと漢字ドリルは毎日どっちかをやれば大丈夫そうだな……。ヤバいのは自由研究かも！　まずは何をやるか決めて、8月になったらすぐできるように準備する。まとめるのにも時間が必要だし」

旅行に行く予定があるなら、計画を考えさせるのもいいでしょう。情報を提供しながら、「何時に出発するのがいいかな？」というように問いかけます。

単純なことでかまいません。学校に行く準備でもいいのです。日常の中で、目的から逆算して現在の行動を考えるトレーニングをすれば、自然に事前予見能力は育っていきます。

能力はあっても、何をしていいかわからない人たち

まずは短期的な先読みと逆算して段取りをつけること。それから徐々に時間軸を長くして、将来設計まで考えられるようにします。進学や就職についても考え、その目標に向けて何をすべきかを考えます。

短期的な先読みはできても、中長期的な計画ができないとやはり困ったことになります。

「刑務所内で優秀だったのに、いったいなぜそんなことがわからないのか」と理解に苦しみますが、これも事前予見能力の欠如が大きいと考えられます。何かしら仕事をこなす能力はあるのですが、中長期的な時間で将来を設計することができない。刑務所を出たとたん、何をしていいかわからなくなるのです。

刑務所では、受刑者に刑務作業をさせます。家具を作ったり機械の部品を作ったりというような、社会にある仕事のいわば下請け的な作業をする「生産作業」がそのひとつです。

もうひとつは、刑務所内の掃除や食事づくり、事務仕事の補助などの「自営作業」。こちらは受刑者の中でエリートが就く仕事です。ある程度自分で判断することができ、能力が高く、信頼もできる人でないと任せられません。自営作業に就いた受刑者は、模範囚として仮釈放される可能性も高くなります。

罪を悔いており更生の意欲があることが条件ですが、自営作業をしっかりこなせるのであれば社会復帰可能だと判断され、早めに刑務所を出ることができるわけです。

ところが、そうやって仮釈放されても再び刑務所に戻ってきてしまうケースも少なくありません。

仮釈放中に新たな罪を犯せば、すぐに見つかって刑務所戻りだということは誰でもわかります。せっかくの仮釈放はただちに取り消され、刑務所で過ごすことになるのです。

これは極端なケースではありますが、「能力は高いのに何をしていいかわからない」という人たちはけっこう多いのではないかと思います。

将来を考えさせる前に、現在の状況を理解する

将来何をしたいのか、何になりたいのか。

大人は子どもに対してよく質問します。将来を考えさせること自体は良いことです。ただ、事前予見能力が十分に育っていない状態で将来のことを聞かれても、どう考えていいかわからないというのが実際のところです。

もちろん、小さい頃は「ウルトラマンになりたい」「プリキュアになりたい」でいいのです。将来と現在を連続して考えていない頃は、願望と実在の区別もあまりつき

ません。それが普通です。でも、「将来」が近づいてきて具体的に考えなければならないときに「ウルトラマンになりたい」では困るでしょう。

「億万長者になりたい」「有名人になりたい」といった目標も、現在とのつながりが少しでも見えなければ具体的な行動を起こすのは難しい。どんな夢を持ってもいいのですが、実現に向けて何かしら行動できるのか否かは重要なポイントとなります。

少年院に入っている子どもも、出院したらどうするか、将来どうするかを考えることが大事です。しかし、事前予見能力が育っていない子が多く、いきなり将来のことを言っても考えることができません。そこで、施設内では現在の状況理解から始めます。いまの立ち位置がわかってはじめて、階段を上がっていこうと思えます。どこにつながった階段をどう上がっていこうか考えられるのです。

更生プログラムの一環としてもよく行われるのが「**内観療法**（ないかんりょうほう）」という心理療法です。「内観」とは、自分についてじっくり考えることです。ネガティブな事態について原因を追究しようとする「反省」とは違い、ありのままの思考や感情を見つめます。自分を見つめる機会を持ち、現在の状況を客観視できるようにします。

ここで内観療法のやり方について説明しておきましょう。私は大学の講義の中で学生たちにも体験させています。特別な準備なども必要なく、誰でもできます。

まず、テーマを決めます。「お父さん」「お母さん」といった身近な人物をテーマに設定することが多いです。

そして、お母さんをテーマにしたならお母さんに「**してもらったこと**」「**してあげたこと**」「**迷惑をかけたこと**」の3つについて考えます。これが基本です。

大学では、壁に向かって床に座り、照明を暗くした状態で内観をさせます。考えたことを書き出したり、人に話したりする必要はありません。ひたすら自分の中に湧き起こる思考や感情を見つめるだけです。これだけですが、自分に対する理解が深まり、社会と自分との関係を自覚できます。

最初は「これで本当に何かわかるのだろうか」と不安そうな学生たちも、しばらくすると涙を流しています。終わったときには顔つきが違うのです。もちろんまわりからは、どんな気づきや感情の変化があったのかはわかりません。ただ、内観後に感想を聞いてみると「自分に対する認識が深まった」「こんなに人に支えられてきたんだということを感じた」と言います。

そもそも**内観療法は、自分を知るための自己観察法として開発されたもの**です。創始者は吉本伊信（いしん）というお坊さんで、浄土真宗の一派に伝わる「身調べ」という精神修養法を一般の人が取り入れられるようにしたものです。少年院や刑務所で1950年代から取り入れられたほか、医療や教育の場でも行われています。

困難を想定して対応力をつける

現在の状況は、過去からつながっています。過去にどんなことがあり、何をしてきたから今こうなのか。客観的に理解することが将来を考える第一歩になります。大事なのは、現在の自分を理解し、事前予見能力を伸ばすことです。過去を振り返ってむやみに反省を促すことではありません。

少年院にいる非行少年たちには、ここを出たらどうするのか、どんな生活をしていきたいのかをしっかり考えさせます。

「もう万引きグループとはつるまない。昼間にどこどこでバイトをして、定時制の高校に通ってこういう勉強をする」

そんなふうに決意していたとします。現実的な目標です。しかし、少年院を出る日が近づくと「出るのが怖い」と言います。少年院では24時間、先生がついていてくれましたが、出院したらもう先生はいません。何でも自分で判断しやっていかなくてはならない。そう思うと怖いのです。

実際、せっかく現実的な目標を持ち、これから頑張っていこうと思っていたのに、地元に戻ってかつての仲間と遭遇した途端に崩れていってしまう人はいます。コンビニで偶然仲間に出会って「出所祝いだから今日だけ行こうぜ」「もう明日からは誘わないから」などと言われ、「うん」と言ってしまう。そうしたらもう、あっというまにもとに戻ってしまうのです。

ですから、**あらかじめ困難を想定して対処法をトレーニングしておくことが重要**になります。必要なのは先を読む力と、それに対応する力です。

少年院ではソーシャルスキル・トレーニング、略してSSTを徹底的にやります。

これは社会の中で想定されるコミュニケーションを、ロールプレイなどを通してトレーニングするものです。

たとえば「コンビニでかつての仲間とバッタリ出会って声をかけられた」と想定し、仲間役を演じる人が「カラオケ行こうぜ」などと言ってくるのに対し「ごめん、今日は用事があるから行けない」などと実際に口に出し、動きながらやってみるのです。

これも、講義の中で学生にやらせています。仲間役は簡単には引き下がりません。しつこく誘ってきます。どう切り抜けるか？　見ているほうは面白いですが、本人は必死です。相手が次に何を言うか予想もするし、どう切り返すか考えます。

こういったトレーニングをしておくことで、現実でも同じようなことが起きたときにはスムーズに対処できるわけです。いま目の前で起き始めた事態が、今後どう進展していくのかということを予測的に知ることはとても重要です。まさに事前予見能力。

目標に向けて行動する中では、困難もあるでしょう。どんなことが想定されるか？　そのときにどう対処するか？　イメージしておくだけでも役に立つのではないでしょうか。

自分で自分のことを決めるのがなぜ難しいのか

自律的に生きるためには、事前予見能力が育っていることが重要です。「**自律**」とは、自分で自分を律することですが、要するに自分のことを自分で決められるかどうかです。自分で方向性を考え、それに基づいて決定するのが理想です。

それに対し、他人の命令に従って決めることを「**他律**」といいます。たとえば、「始業時刻の5分前に職場に来るように言われたから来ている」というのは他律です。人に言われたから、そういうルールだから、その通りにしているわけです。一方、「始業時刻の5分くらい前には到着して準備をするのがよいと考えたから、そうしている」のは自律です。自分の将来の方向性から見て合理的に判断し、決定しています。

自分で自分のことを決めるのは簡単に思われますが、実はけっこう難しい課題です。他律のほうがはるかにラクです。自分で判断せず、責任もとらなくていいのですから。

現代は、他律を好む若者が増えているように感じます。自分で決めるよりも「みんなが言っているからこうしよう」と、雰囲気に流されることが多いのです。

背景のひとつには、ＳＮＳ社会の生きづらさがあるでしょう。ＬＩＮＥやTwitter、Instagram、TikTokなどが当たり前にあり、自分のことがどこでどう言われているかわかりません。ちょっと目立つことをすると攻撃されるのではないか。いや、実はもうどこかで攻撃されているのではないか。などといった不安があるのです。

自分で自分のことを検索する「エゴサーチ」というような現象が流行(はや)っている背景にもこうした不安が付きまとっています。

ですから、まわりの言うことに合わせる、グループの暗黙のルールに合わせるといった思考になりがちなのはわかります。しかし、すべてが他律でいいわけがありません。学生の頃は何とかなっても、社会に出て「何をしたらいいですか」「どうすればいいですか」ばかりでは困るでしょう。「自分で考えろ」と言われ、苦労することになります。

私は暴力団関係者の心理分析も多く行いましたが、彼らのほとんどは他律の極致でした。言ってしまえば、自分で何も決めることができず、強い者にぶら下がっているのです。命令に従っていれば守ってもらえるし、対外的には自分を強く見せられる。

一見強そうに見えて実は弱い人間だったりします。

「シャバに出て普通に働いてみな」と言われても、何をしていいかわからないと言います。ふつうの社会で起こる一つひとつにどう対処していいか、わからないのです。「あんなに強気だったくせに」と言いたくなりますが、結局、自律的に生きてこなかったわけです。

自分はどうしたいのか。将来どうなっていたいのか。自分で考えて決定していくことが大事です。

柔軟な思考力を身につけるためには

たとえば次のようなロジカルな因果関係については、簡単に学習ができると思います。

「今日学校を休むと、遠足の班決めに参加できない」

「明日の土曜日は学校がある日だから、今日中に宿題をやる必要がある」

自分がAをするとBになる、AをしないとCになるといった単純な関係です。プログラミングやゲームが好きな子たちなら得意かもしれません。時間軸に沿って論理的に物事を考えられるのは大事なことです。ただ、現実の人生で起こることはもっともっと複雑です。時間軸を伸ばしていくほど、単純な因果関係では説明できなくなります。

「自分がＡをするとＢになる」としか考えていないと、実際は違う事態になったときに対応が難しくなります。夢や目標として「絶対にＢになる」と考えていていいのですが、同時に他のパターンも知っておくことは大事です。

事前予見能力とは「先を読む力」と言いましたが、先を読むときのバリエーションも重要になるのです。

バリエーション豊かな先読みができるようになるには、多くの事例を知ることです。**さまざまな体験をすること、それから本を読むことで事例を増やしていく**ことができます。

多くの犯罪者や非行少年を見ていると、経験の幅が狭いと感じます。狭い世界に生きていて、多様な人との関わりや文化、体験に触れることが少なかったのです。すると、自分で考えるときの土台が狭く、多様な未来を予測するようなことができません。

私は彼らに対して「本を読め」と繰り返し言ってきました。本は多様な体験の宝庫です。直接体験ができることは実際にすればいいですが、できなくても本を読めば間接的な体験になります。ふだん関わったことがないような職業や価値観の人の考えを知ることができたり、世界中の物語を知ることができたりします。

絵本や図鑑でも、ハウツー系の本でもどんな本でもかまいません。興味を持ったものでいいと思います。親からすればいい内容だから読んでほしい本というのもあるとは思いますが、まずは子ども自身が「面白そう」と思ってめくってみることです。本を好きになれば、どんどん体験を増やしていくことができるはずです。

いまの時代は、本よりネット、動画が主流かもしれません。しかし、子どもにとって良い体験になるという意味で言うと本に勝るコンテンツはないと思っています。もちろん、動画の中にもいいものはあります。ただ、玉石混交(ぎょくせきこんこう)で、子ども自身はなかなか選別ができません。放っておくと、刺激の強いものや質の低いものをただ受動的に見ているだけになってしまいます。親は気をつけてあげる必要があるでしょう。

天才MCの先読み力の伸ばし方

私は本業として大学で教えるかたわら、テレビ番組に出演させていただく機会も多いのですが、先を読む力について、テレビのバラエティ番組のMCの方々は本当にすごいと感じています。バラエティ番組の作り方もいろいろですが、予定調和をよしとせず、その場で意外な方向へ持っていって面白くするタイプのものもあります。

共演者の言葉を拾って、流れを読んで進行していくのですが、「さっきの言葉がここにつながるのか！」と驚いたことが何度もあります。一手先、二手先どころではなく、もっと先を読んでいたことがあとでわかるのです。

あるMCの方が、「一緒に本屋に行こう」と言うので一緒に行きました。彼は一般的にはとくに賢さで売っているわけでもないし、あまり本を読むイメージではないと思います。

しかし、実はものすごい読書家です。本屋さんで平置きしている本を「ここからここまで全部」と言って買い、片っ端から読んでいます。カバンの中には常に10冊以上の本が入っているくらいです。本を読んで体験を増やし、先読み力をさらに鍛えているのです。先読み力の中でも、バリエーションの多さが強みになっているのでしょう。だから彼はどんな話題でも対応できるし、点と点をつなげて線としていくことができます。

ただ、これは世間には秘密であるようで、誰にも言いません。努力している姿を見せないのです。あとですぐに「あの本は面白かったよ」「この本は勉強になった」と次々に教えてくれたので驚きました。

先を読む力というととらえどころがなく、どう伸ばせばいいかわからないように感じるかもしれませんが、さまざまな体験をすること、本を読むことで伸ばしていけるのです。

第3章

「頑張りなさい」が意欲を破壊する

ナオトのケース

罪状 **大麻取締法違反**
宿泊先ホテルにて大麻を複数回使用

ナオトが5歳の頃から、両親はケンカばかりしていた。父親は自動車の営業をしていたが、営業成績が上がらず給与が低かったので、母親がしょっちゅうなじっているのを聞いた。ナオトにとっては、小さなことでも目標達成をするとお小遣いをくれたり、何かとかばってくれるやさしい父親だ。

しかし、母親からすると「うだつの上がらない、能力が低い男」であるようだ。「お父さんみたいになっちゃダメだからね」と繰り返し言われた。そのうち父親は家に帰らなくなり、他の女性と生活をしていることがわかった。そして、ナオトが10歳のときに離婚した。

以来、ナオトは落ち込むことが多くなった。もともと勉強も遊びも集中することがあまりない。成績もよくない。頑張らなければいけないと思うものの、成果を出せない自分が情けなかった。

「そんなんじゃお父さんみたいになるよ。あんなふうになったらおしまいよ」

そう言って母親は「勉強頑張りなさい」と繰り返すのだった。

小学6年生のとき、担任の先生が親身になって相談にのってくれた。

「ちょっとずつでいいんだよ。成績を上げる努力をして、それがわかればご家族もきっと理解してくれる」

ナオトは予習をして授業にのぞむなど少しずつ努力をした。先生が褒めてくれるので、ものすごく嬉しかった。努力の結果は成績表にもあらわれ、それまでどうしても2しかとれなかった国語が3になった。

「やればできるんだ。少しは褒めてもらえるかもしれない」

そう思って報告すると母親は、

「3で喜んじゃいけない」

「小学生のうちに国語ができるようになっておかないと中学で苦しむよ」

内心はほっとしているのだが、もっと頑張ってほしいという気持ちで厳しくあたるのだった。ナオトは心底がっかりした。頑張っても評価してもらえないんだと思い、それ以来コツコツ努力することをやめてしまった。

その後、高校はなんとか卒業したものの、何に対しても前向きな気持ちが起きない。先生に言われるままに機械メーカーに就職したが、3か月で離職。家にひきこもってゲームをする毎日だ。

母親は「だから勉強しろと言ってきたのに」「どうしようもないクズになった」などと叱責ばかりする。ナオトも「このままではいけない」と危機感を持ちつつも、「お父さんのせいだ。家を出ていかなければこんなことにならなかった」と原因を父親に求めるようになっていった。

そんなとき、コンビニで中学時代のゲーム仲間のタケルに会った。平日の昼間にだらしない服装でコンビニに来ているタケルも、やはり無職でゲームをしながら過ごしているとのことだった。ふたりはすっかり意気投合し、タケルのアパートに遊びに行くと「気持ちがラクになるものがあるぜ」

と教えられたのが大麻だった。

「外国じゃ普通だし、副作用もないし。他はともかく、大麻は大丈夫」

ナオトはすぐに大麻の虜（とりこ）となった。大麻を使うと、あっというまに多幸感につつまれ、悩んでいた自分がバカらしく思える。そして、自ら売人に接触し、単独で使用するようになっていった。

言葉は受け手によって180度変わる

ナオトは母親から「頑張って」と繰り返し言われていました。「頑張って」は、一般的に応援の意味で使われる言葉です。しかし、ナオトは「応援してもらっている」とは感じませんでした。むしろ、否定的な言葉としてとらえていました。とくに父親に対する悪口をさんざん聞かされており、自分が父親と重ね合わされ同一視されていると感じていたので、「頑張って」は自分を否定する言葉にしか聞こえなかったのでしょう。

「頑張れないおまえはダメだ」「もっとやる気を出さないとダメだ」と言われている気がしたのです。

「頑張って」のように言葉自体はポジティブなものであっても、被害感や疎外感が強い子は否定的に受け止めます。非行少年によく見られることです。ひねくれてしまって社会を斜に構えて見ている状態では、**励ましや応援の言葉も「バカにしやがって」というようなもの**です。

そもそもなぜ被害感や疎外感が強くなったかといえば、親子間における日ごろのコミュニケーションに問題があるわけです。ナオトの場合、父親のことはさておいても、「あなたのことを大事に思っている」ということが伝われば、また違った受け止め方をしたでしょう。

ナオトのような非行少年の親でも、別に暴言を吐いたこともないし、いい言葉をたくさん言っていると思っている人はいます。しかし、大事なのは子どもの主観的現実です。**どんな言葉を使うかも大切ですが、子どもがどう受け止めているかに配慮しているかどうかも大切**なのです。

たとえば親が子どもに対して説教をしているとき。話していることは非の打ちどころのない正論かもしれません。丁寧な言葉を使っているかもしれません。しかし、親からすれば「いいことを言った」と思っていても、子どもからすると「何もわかってない」と思うことはよくあるわけです。

少年鑑別所での面会の様子などを見ていると、それが如実（にょじつ）にわかります。「親はいいことを言っているが、子どもはまったく信用していないな」と思います。

そういう親は「頑張れって応援してきたのに、うちの子は全然こたえようとしなかった」と言います。子どもは応援だと受け止められなかったのです。同じ言葉でも、受け止め方は同じではありません。180度違うことだってあるのです。そこに気づかなければなりません。

■「頑張って」の言葉で意欲を持たせることはできない

「頑張って」という言葉は、「意欲を持て」という意味で使われることがあります。ナオトは小さい頃から勉強にも遊びにもあまり意欲的ではありませんでしたが、親が「意欲を持て」と言って持てるものではありません。「やる気を出せ」も同じです。

意欲=やる気は自分の内側から出てくるもので、他者が植えつけることはできません。ただ、意欲を促すことはできます。心理学ではこれを「動機づけ」といいます。

うまく動機づけをすることができれば、ナオトももっといろいろなことを頑張れたことでしょう。小学校の担任の先生は、ナオトの努力を褒めて勉強への意欲を促進することができていました。ところが、母親は褒めるどころか逆のことをしました。内心はほっとしているのに、「これくらいで満足するな」「もっと頑張れ」とたきつけるのです。

これではせっかく芽生えたやる気もそがれてしまうというもの。本当はこのときが大きなチャンスだったのです。頑張ってみよう、努力してみようと思って実際に行動したナオトのことを褒めてあげるべきでした。たとえ結果が良くなかったとしても、**プロセスを褒めることで意欲は高まります。**「頑張って」ではなく、「頑張っているね」「よく頑張ったね」と認めることが応援になり、意欲を伸ばすことになるのです。

頑張ったことさえ否定されたナオトは、努力することをやめてしまいました。その後、引きこもって生活をしながら、焦りはあるものの、自分で課題解決する意欲を持つことができません。そして友だちからの誘いをきっかけに、大麻に逃げることになりました。

まさに現実逃避です。現実から簡単に目を背けられ、忘れることができるものとしてすぐに依存することになります。こうなってしまうと、現実に向き合い課題解決への意欲を持つことはますます困難なのです。

■「努力してもムダ」――学習性無力感とは

自分が何をしたって、どうせ状況は変わらない。努力してもムダ……。もともとやる気がないわけではなく、行動しても結果が出ないことを何度も経験するうちに、やる気を失い行動しない状態を「**学習性無力感**」と言います。心理学者マーティン・セリグマンが1967年に提唱した概念です。

セリグマンは次のような実験をしました。

犬を2つのグループに分け、どちらも電気ショックが流れる部屋に入れました。Aグループは、スイッチを押せば電気ショックを止めることができます。Bグループは何をしても止めることができません。

これを経験したあとに、両グループを低い壁で囲まれた部屋に入れました。この部屋にはやはり電気ショックが流れるのですが、壁を飛び越えればそれを避けることができます。Aグループの犬は壁を飛び越えて電気ショックから逃れることができました。しかし、Bグループの犬は、壁を飛び越えれば逃げられるにもかかわらず、そのまま電気ショックの部屋にい続けました。

つまり、自分が何をしても電気ショックを止められないと学習した犬は、逃げられる環境になっても行動しなかったわけです。「何をしてもムダだ」とあきらめてしまったのです。

学習性無力感の状態に陥ると、「次は成功するかもしれない」「別の方法で試してみよう」という気が起こりません。やればできることも、行動しなくなってしまいます。

第1章でお話ししたプリゾニゼーションによって起こるものと、表面上は似ていますが違います。プリゾニゼーションは、禁止されることが多く、命令に従っているうちに自分で判断や行動をしなくなるというものです。

一方、**学習性無力感は自由な環境でこそ起こります**。結果が出ないことを繰り返したせいであきらめてしまうことです。こちらのほうが現実の社会には多いだろうと思います。

学習性無力感に陥らないためには、やはりプロセスを褒めること。結果がどうであれ「やってみよう」と思ったこと、そして少しでも行動に移したことを褒めます。

たとえばテストに向けて勉強をしている姿を見たときに、「頑張っているね」と声をかけます。難しく考える必要はありません。あ、動いているなと思ったときにポンと言ってあげればいい。行動していることを見ているよ、ということを伝えればいいのです。プロセスに注目して褒めてもらえると、結果が良くなくても「次はもっと頑張ろう」「今度はやり方を変えてみよう」というように前向きになることができます。

もちろん、良い結果に対し褒めることも重要です。しかし、結果のみに注目するのは良くありません。頑張っても結果につながらないことはいくらでもあります。それでもまたチャレンジしようと思える子に育てるためには、プロセスを見て声をかけることを習慣化することです。

やる気がなさそうに「見せているだけ」ということも

本人は頑張っているつもりだけれど、やる気がないように見えることもあります。非行少年は「やる気がなさそうに見える」子が多いです。努力している姿を見せるのがかっこ悪いと思って、あえてやる気がなさそうに振る舞っている場合もあります。

大人に不信感を持っており、ひねくれてしまっているのです。

そういう子に対して「やる気出せ」「頑張れ」と言っても逆効果です。「うるせぇ！」と、反抗し努力をやめてしまうでしょう。

やる気がなさそうに見える子でも、何かしら行動をしていることがあるはずです。それを見つけてすかさず声をかけるのが一番です。

「おっ、やってるじゃん」

それだけだっていいのです。

「別に何もやる気ない。努力なんかしたってムダだし」と冷めた態度の非行少年に対しても、ちょっとした行動を見つけてプロセスを褒めるうちにバーッと喋（しゃべ）るようになるということがよくあります。

ひねくれていたのが、元のまっすぐな状態に戻っていくようです。ひねくれてしまった大人を戻すのはそれなりに難しいと思いますが、子どもの場合はさほど難しくありません。少年鑑別所にいる、ひねくれ度ＭＡＸのような非行少年でさえ素直に戻るのですから。やる気がなさそうだったり反抗的だったりするからといって、親やまわりの大人がすぐにあきらめるようではいけません。

頑張れない原因はどこにあるのか

ナオトは「頑張りなさい」と言われ続け、本人も「頑張らなければ」と焦りを感じていました。

しかし、そもそも何をどう頑張れというのでしょうか。**漠然と頑張ることを要求されても、子どもはどうしていいかわかりません。**「頑張って」と言うなら、具体的に何をどうすればいいのか示してあげることも必要でしょう。「それならできそう」と思えれば、一歩踏み出すことができます。

これを心理学では「**スモールステップ学習**」と言います。いきなり大きな目標に向かうのではなく、目標を小刻みにして、こまめに達成感を味わえるようにする方法です。

子どもがやる気なさそうだったり、あきらめてしまっているようなら、「**頑張れな**

い原因」を一緒に見つけるのがいいと思います。たとえば、学校の宿題を前にしながらもなかなか始めようとせず、落書きをしたり飲み物を飲んだりしてダラダラしている子がいるとします。やる気がなさそうに見えます。やっと書き始めても「ウーン」と言って頭を抱えてしまいました。

「頑張ろうね」

そんなふうに声をかけたところで、頑張れるはずがありません。

その子が頑張れない理由があるはずです。それを探すのです。たとえば、2けたのかけ算の宿題をしないのは、「繰り上がり」でつまずいているのかもしれません。それを本人は気づいておらず、「難しくてわけがわからない」から自分には解けないと思っています。それなら、「繰り上がりの足し算を復習してみるといいよ」とアドバイスできます。具体的にやることがわかれば、頑張ることもできるでしょう。

もしかすると、単純に眠かったりお腹がすいていたりするのかもしれません。ほかに悩みがあって集中できないのかもしれません。頑張れない理由を先に解決しないと、頑張ることができないわけです。子どもを観察しながら「どうしてやりたくない気持

マズローの欲求５段階説

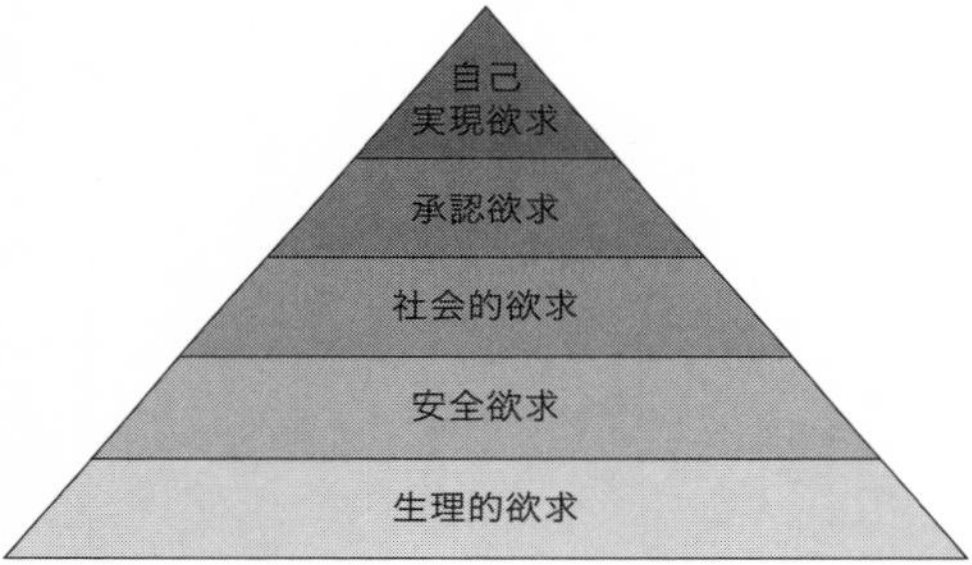

自己
実現欲求

承認欲求

社会的欲求

安全欲求

生理的欲求

ちなの？」「いつなら頑張れそうかな？」といった声かけをし、頑張れない原因を探って解決することが必要です。

いきなり自己実現には向かえない

頑張れない原因について、別の角度からも見てみましょう。

心理学者アブラハム・マズローの理論によれば、人間の欲求は5段階のピラミッドのように構成されています。

ピラミッドの下から「**生理的欲求**」「**安全欲求**」「**社会的欲求**」「**承認欲求**」「**自己実現欲求**」となっており、下の階層の欲求が満たされてはじめて、その上の階層の欲求を持つようになるというのがポイントです。つまり、ご飯を食べたり眠ったりという「生理的欲求」が満たされることなしに「安全な場所で暮らしたい（安全欲求）」という気持ちは出てこないわけです。

ちなみに各欲求を解説すると、次のようになります。

生理的欲求
食事・睡眠・排泄（はいせつ）など生きていくための原始的・本能的で基本的な欲求
安全欲求
危険を回避し、安全で安心できる環境で暮らしたいという欲求
社会的欲求
集団に所属したり、仲間を求めたりしようとする欲求。所属と愛の欲求とも呼ぶ
承認欲求
所属する集団の中で高い評価を得たい、能力を認められたいという欲求
自己実現欲求

自分にしかできないことを達成したい、自分の個性や可能性を発揮して生きたいという欲求

親は最上段の「自己実現」についてばかり言いがちです。

「才能を最大限に活かして、何かを成し遂げてほしい」

「本当にやりたいことを見つけて、目標を達成してほしい」

もちろん、最終的に目指すのは自己実現でしょう。しかし、自己実現の前に、下の階層の欲求はどうなのかを考えてみてほしいのです。

「夢を見つけて頑張りなさい」と言ったところで、その子は「承認欲求」が満たされていないかもしれません。「認めてもらいたいのに……」という不満がある状態なら、自己実現どころではありません。

「まわりに評価されるよう頑張りなさい」と言っても、その子は「社会的欲求」が満たされていないかもしれません。孤独感を抱えていて「仲のいいグループに自分も入れたらいいのに……」という不満がある状態なら、「承認してもらえるよう頑張ろう」

という気も起きないはずです。

いきなり「自己実現できるよう頑張れ」と言ってもダメなのです。

ご褒美は逆効果？

ここまでお読みになられた方の中には、「頑張ってと無理に言ってはいけないのはわかったけど、でも試験とかはどうしても頑張ってもらわないと困る」という方もいるでしょう。

もちろんどうしても頑張ってほしいときがあるのはよくわかります。たとえば、1回きりの試験だってあるでしょう。では、どうやって動機づけすればいいのか。

そもそも動機づけには2種類あります。ひとつは「外発的な動機づけ」。これはいわゆる評価や報酬を与えて次の行動を促すというような動機づけの方法です。営業成績に応じて給与が増えるというようなシステムはまさにこの外発的な動機づけを用いています。

もうひとつは「内発的な動機づけ」。こちらは、課題達成したことによって発生する本人の中の充実感が次の課題達成を生み出すというものです。どちらも動機づけとして効果的ではありますが、時と場合、組み合わせによっては逆効果になってしまうこともあります。

頑張ってほしいとき、外発的動機づけのひとつとしてご褒美を用意するという人もいるかと思います。

「テストに合格したら、欲しがっていたゲームを買ってあげる」

「今日の習い事を頑張ったらアイスクリームを買ってあげる」

ほとんどの人が心当たりがあるのではないでしょうか。

そこで知っておいてほしいのが「**アンダー・マイニング効果**」です。

アンダー・マイニング効果とは、内発的に動機づけられた行為に対して、外発的な動機づけを行うことでモチベーションが下がってしまう現象のことです。本人がやりたい・頑張りたいと思って行っているところに「できたらご褒美をあげるね」と言ってしまうと、行為の目的が「やりがい」から「ご褒美（報酬）」に変わってしまいます。するとと、次から報酬がなければやらない、というようになってしまうのです。

たとえば、子どもが「お母さんの役に立ちたい」「家事をやってみたい」という気持ちからお手伝いを進んでやっていたとします。そこへ「助かったからお小遣いをあげるね」といって報酬を渡します。

「1回お手伝いするごとに100円あげるから頑張って」

そんなふうに外発的な動機づけをすると、その子は100円もらうためにお手伝いをするようになるでしょう。そして、報酬が出なければお手伝いをしなくなります。内発的な動機が減ってしまったのです。

金銭的な報酬や、欲しいものを買ってあげるという物質的報酬がわかりやすいですが、罰則をもうけたり、競争をさせたりするのも「外発的動機づけ」にあたります。

「宿題を終わらせなかったらオヤツ抜き」

「きょうだいでお手伝いをやった日はカレンダーにシールをはり、1か月分を集計して勝ったほうを賞賛する」

こんな例も同じように、外発的動機が目的化します。

本人の意欲を大切にするには、アンダー・マイニング効果にも十分注意しなければなりません。

それでは、「褒める」のはどうでしょうか。

金銭を含めた物質的報酬に比べ、心理的報酬はアンダー・マイニング効果を発生させにくいと考えられます。ただし、結果に対してだけ褒めるのであれば、やはり目的化するおそれがあります。

お手伝いの例でいえば、洗濯物が速くきれいにたためたときに褒める一方で、遅かったりぐちゃぐちゃだったりしたときに褒めないようにすると、褒められたいから頑張るようになるでしょう。上達はするでしょうが、もともと自発的に持っていた「家事ができるようになりたい」という意欲は減退するかもしれません。

褒められることを目的にするからです。そして、洗濯物をうまくたためても褒められなくなると、もうやらないということになりかねません。

逆に、**意欲を持っていること自体を褒めると、意欲が高まります。**

「家事ができるようになりたいなんて、すごいね」

プロセスを褒めることも同様です。

「おっ、たためているね」

「しわを伸ばしながらたたむなんて、すごいな」

これなら、ますますやる気が出るでしょう。

目標達成のご褒美を使う場合、心理的報酬とうまく組み合わせるのがコツです。ご褒美は子どもにとって嬉しいものですが、それはご褒美をくれる親が喜んでくれている、賞賛してくれているという部分も大きいのです。単純に物が手に入っただけでは喜びは持続せず、意欲も育ちません。

ですから、プロセスを褒めつつ、**ご褒美を渡すときには親自身も嬉しいことを伝えるのがいい**のです。

子どもの心を回復させるレジリエンスとは

意欲を持って目標に向けて頑張っていても、達成できるとは限りません。目標が達成できなかったとき、失敗したときのことも考えてみましょう。

たとえば何かのテストに向けて頑張っていたけれど、不合格になってしまった。「頑張ってもダメだったんだから、自分にはムリなんだ」

落ち込み、やる気が出なくなることはあると思います。

落ち込むのは仕方ありません。やる気が出なくなるのも普通の反応です。ただ、本当に心が折れてしまって、いつまでも回復できないのであれば困ったことになります。

逆境や困難を乗り越える力として注目されている「**レジリエンス**」は、もともと心理学において「逆境やトラウマ、惨事（さんじ）、脅威（きょうい）、さらには重大なストレス源に直面したときにうまく適応するプロセス」を表す言葉として使われていました。困難から再起する力ということです。

心理学の分野でレジリエンスの概念が広まったのは、第二次世界大戦下のユダヤ人虐殺から生還した子どもたちの研究でした。強制収容所では大量の死を目の当たりにし、極限のストレス状態に置かれていた子どもたちです。その後を追跡調査すると、過去のトラウマから抜け出せずさまざまな問題を抱えている人と、トラウマを克服し人生を前向きに生きている人の双方がいることがわかりました。前向きに生きている人たちの共通点がレジリエンスです。適応力や回復力が高いことがわかりました。

近年はもっと広い分野にこのレジリエンスの考え方が使われるようになっています。変化が激しくストレスも多い時代を生きる重要なスキルのひとつとしてとらえられています。

レジリエンスのすごさは、頑丈さというよりしなやかさにあります。強い風に吹かれてしなる竹のように、ポキッと折れるのではなく曲がって元に戻る柔軟さです。レジリエンスが高ければ、多少落ち込むことがあっても早く回復し、「また頑張ろう」と思うことができます。

勘違いしないでいただきたいのは、**落ち込まないのが大事というわけではありません**。大事な目標であるほど失敗すればガッカリするでしょうが、失敗しないことを目指すのも違います。失敗しない人間などいませんし、失敗に免疫がなければそれこそ簡単に折れてしまいかねません。

スポーツ選手の心理分析からわかった、レジリエンスの秘訣

レジリエンスを育むには、失敗して落ち込み、そこから回復するのを繰り返すことが大事です。

私はNHK・BS1『千鳥のスポーツ立志伝』というトークバラエティ番組に出演し、ゲストのスポーツ選手たちの心理分析を行ってきました。どの選手もレジリエンスの高さには感心させられます。大きな大会のプレッシャーや、スランプ、ケガなどストレスフルな状況でも負けません。普通なら心が折れるようなシーンでも、あきらめず前に進むのです。

なぜそんなにレジリエンスが高いのでしょうか？

それは人より多く失敗をし、危機を体験しているからです。それを乗り越えた経験があり、「自分は新たな危機も乗り越えられる」と思っています。失敗からどう立ち上がるかを自分で判断ができる強さを持っていると感じます。

あるパラリンピック選手の心理分析のとき、お母さんも一緒にいたのですが、その

方がまた明るくて素晴らしい方でした。常に本人のやりたいことを応援しているお母さんですが、手出し口出しをするのではなく、見守っているのです。

パラリンピック選手の親は、子どもがケガをしないかすごく怖いと思います。でも、転ばぬ先の杖（つえ）になろうとするのではなく、「どんどんやりなさい」というスタンス。ただし、遠征には必ずついていくし、見守って支えています。

子どもを信じて見守るというのは、忍耐がいることです。手を出して援助したほうがよほどラクだというときもあるでしょう。

しかし、失敗や困難を経験して乗り越えてこそ、レジリエンスは高まっていきます。ちょっとやそっとじゃ折れない、しなやかな心を持つことができるのです。経験値なくしてレジリエンスだけを鍛えるなどということはできないのだと思います。

見守るときに大事なのは、子どもが落ち込んだときに親も一緒になって落ち込まないことです。親が人生終わりだという顔をしていたら、子どもだって這（は）い上がる力が湧いてきません。**むやみに「頑張れ」と言うのは良くありませんが、「きっと良くなる」と希望を感じさせてあげること**は大事です。

先ほど例に出したパラリンピック選手は、活動に影響するくらいの突然の大ケガを過去にしたそうです。もちろんお母さんもショックを受けていました。でも、子どもの前では涙を見せず、希望を探そうとしてきたそうです。

原因追究よりも希望の光を示す声かけを

子どもが落ち込んでいるときは、希望の光を示すことこそが大人の大事な役割だと考えています。

希望の光を示すにあたって、原因を探ることが必要な場合はもちろんあります。しかし、原因を追究し「ここを失敗したからこうなった」と大人が言うことにたいして意味はありません。落ち込んでいる子ども自身は、原因のほうに意識が向いているもの。これが悪かった、あれが悪かったと考えて、クヨクヨしてしまいます。そこへ大人も一緒になって原因追究すれば、なかなか立ち直れないでしょう。

そのうえ、「こうだから失敗した」と解説すれば、子どもは学習することができません。本人が考えることが大事です。

ですから、落ち込んでいる子に対しては「その失敗があったからこそ、うまくいく方法がわかったね」「次はきっと良くなるよ」と言ってあげることです。

第4章

「何度言ったらわかるの」が自己肯定感を破壊する

ヒトミのケース

罪状　援助交際（虞犯）

不特定多数の男性と性交渉し、合計約15万円を受け取った

ヒトミは中学3年生で、高校受験を控えていた。親からは「学費がかかってもいいから、偏差値の高い高校へ行きなさい」と言われている。両親ともに高学歴で、勉強でも仕事でもよい成績をとることが将来の幸せにつながるのだという価値観を持っていた。

ただ、子どもに対して過度な要求をすることは良くないと知っていたので、直接的に「ああしなさい」「こうしなさい」と言うことは控えていた。そのかわり、ヒトミが幼い頃から、優秀な第三者を褒めることで目標を示そうとするのだった。

「ミサちゃんは幼稚園で描いた絵がコンクールで入賞したんだって」

「ケン君は、まだ小学校入学前なのに九九がスラスラ言えるんだって」

とりわけ母親はこんな調子で、聞こえよがしに話す。ヒトミをきちんと

育てれば、妹と弟もそれを目標にできるだろうと思っていたので、きょうだい3人の中では長女のヒトミに対する期待がいつも大きかった。しかし、幼いヒトミは自分に対するメッセージだとは気づかず「ミサちゃんもケン君もすごいんだな～」と思うだけだった。

小学3年生のある日、ヒトミは学校から帰ってきて宿題をするために机に向かった。夏の暑い日でプールの授業もあったため、疲れていたヒトミは机につっぷして寝てしまった。

「何度言ったらわかるの！」

突然の母親の叱責に飛び起きるヒトミ。何のことかさっぱりわからない。

「この間、お友だちのケイちゃんの話をしたよね。ケイちゃんはどんなに疲れていても必ず宿題を済ませてからほかのことをするんだって。だからあんなにちゃんとしているし、成績もいいんだって話したよね」

ヒトミはこのとき、「そういうことだったのか」と理解した。小さい頃からあまり自分を褒めず、まわりの子ばかり褒めると感じていたが、まわりの子のようになれというメッセージだったのだ。

その後も母親はヒトミを暗に否定するような言動が多く、ヒトミは自信を失っていった。親からの評価を気にするあまり、自分から目標を設定したり、目標に向けて努力をしたりすることができない。自分よりダメな人間を探して、安心するようになっていった。

中学生になって塾に通うようになると、連絡用に携帯電話を与えられた。そして、SNSにはじめて触れ、強く惹かれるようになった。自分のことを詳しく明かさなくても、人と交流ができるのだ。しかも、女子中学生だと言うと多くの男性にちやほやしてもらえる。悩みも聞いてもらえるし、褒めてもらえる。自分はこのままでいいんだ、ダメじゃないんだと思えることが嬉しかった。

ほどなく、大人の男性に誘われるまま実際に会うようになった。性的な関係を持ってはお金をもらうヒトミ。

「私には価値があるんだ」

満足感に浸った。後ろめたさがなかったわけではない。しかし「付き合ってほしいという男にお金をもらっているだけ」「体を求めてこない男だっているし」などと考えて売春ではないと思おうとした。が、男性の逮捕をきっかけにヒトミの援助交際も発覚。少年鑑別所に収容されることとなった。

自分を大事にできない子どもたち

このケースは「虞犯」といって、まだ法を犯してはいないものの、環境や性格などからみて将来罪を犯すおそれがあるとみなされました。

ヒトミは極端に自信がなく、「自分が承認された感覚」を持つために援助交際に走ってしまいました。自分が求められているという心理的充足感に加え、お金ももらえるという物質的な満足感があることで、あっというまにのめりこむようになったのです。

少年鑑別所には類似のケースが山ほどあります。ちやほやされているのは単に性的な欲求のはけ口となっているからなのに、「それでもいい」と考えてしまう。ヒトミはお金を受け取っていましたが、報酬が何もなくてもついていってしまう子もいます。そのときだけでも自分のほうを見てくれる、認めてくれると思うからです。

そして、妊娠・中絶を繰り返している子も多くいます。心にも体にも大変な傷を負っているはずです。しかし「もっと自分を大事にしなさい」と言っても「いや、別に大事じゃないし」という反応をします。自分が価値のある存在なのだ、自分をもっと大切にしていいのだと思えないのです。なんと悲しいことでしょうか。

自己肯定感が高ければ、もっと自分を大事にできるはずなのです。

自己肯定感とは、ありのままの自分を肯定できる感覚のことです。**他者との比較ではなく、自分の存在に価値があると認め尊重できる感覚**です。良い人生を歩むための根源的な力と言えます。

ヒトミは母親から常に誰かと比較され、暗に否定されてきました。「誰々と比べておまえは劣っている、だからダメだ」と言われ続けたようなものです。自己肯定感が低くなるのも当然です。

母親自身は、否定したつもりではなかったかもしれません。わが子への期待と、思い通りにいかない子育てのストレスから「何度言ったらわかるの！」とキレてしまったという面もあるでしょう。しかし、もし本当に子どもを大切に思っているなら、それをきちんと言葉にして伝えなければなりませんでした。

「以心伝心。家族だから、言わなくても伝わっている」なんていうことはありません。

折に触れて「あなたが元気でいてくれるだけで嬉しい」「そのままのあなたを大切に思っているよ」と話すことが大事です。「何かができたから」とか「人と比べて優れているから」ではないというのが重要なポイントです。何もできなくてもいいのです。ありのままで価値があり、尊重されるべき人間だということです。

自己肯定と自己中心

自分を大事にするといっても、自己中心的なものとはまったく違います。

自己中心的とは、自分の利益や関心事のために行動し、他者への配慮に欠けていることをいいます。自分が正しい、自分が一番という視点に立っているので、当然ながら社会生活の中ではうまくいかないことがよくあります。

誰でも小さい頃は自己中心的に世界を見ていますが、年齢が上がるにつれて他者の視点に立つことができるようになっていきます（これを心理学では視点取得といいます）。「自分が自分が」ではなく、お互いのことを考えながら行動できるようになるのです（自己中心性は共感性と深く関わりがあり、これについて詳しくは第6章でお話しします)。

非行少年の中には、自己中心的な子が多くいます。社会のルールや他者の感情・利益を損なってでも、自分の利益のために行動します。これは「自分を大事にする」こととは別の話です。彼らの自己肯定感が高いかといえば、まったくそんなことはありません。

むしろ、低いのです。自分が尊重すべき人間であると同様に、他者も尊重すべき人間だということがわからない。他人なんかどうなってもいい、とあらゆる身勝手な犯行を繰り返す者の心理分析をすると、奥底には「自分なんかどうなってもいい」が隠れていたりするのです。

自己肯定感の欠如から援助交際へ向かう傾向のある女子に対し、男子の場合は「多種方向犯」へ向かうことがあります。

「多種方向犯」とは窃盗、傷害、猥(わい)せつ、建造物破壊など種類の違う犯罪を繰り返す場合を指します。通常、犯罪者は、窃盗なら窃盗だけ、暴力犯罪なら暴力犯罪だけというように単一方向犯がほとんどです。しかし、多種方向犯は自分の欲求のままに社会のルールを無視して行動するので、あらゆる法令に抵触するわけです。
なんて自分勝手なのかと驚きますが、根底に自己肯定感の欠如があるのです。
非行少年や犯罪者と面接していると、「どうせ自分なんか」という言葉がよく出てきます。強そうに見えても、頭が良くても、自己肯定感の高い非行少年はほぼゼロです。

少年院の先生は、非行少年のことをまず肯定することから始めます。もちろん、非行そのものを肯定することはできません。その子自身を肯定するのです。あまりに低い自己肯定感を高めてあげることが更生への一歩になります。

心に届く褒め方のベースにあるのは観察

肯定するというのは、褒めちぎることではありません。

その子自身を認めるという受容的な態度で接するということ、それから些細なことでいいので褒める、認める言葉をかけることです。少年院の先生は本当にそれが上手です。

たとえば何か作業をやらせたときに「昨日よりうまくできているね」「ここを工夫したね」など、小さなことでも変化や成長を見つけて声をかけます。非行少年たちは褒められ慣れていないので、最初はいい反応は見せません。どんな顔をしていいかわからず、どう答えていいかもわからないのです。

でも、確実に心に届いています。大げさに褒められると逆に「自分をコントロールしようとしているのでは」と不信感を持つような子も、さりげないポイントをついた褒め方をされるとイヤな顔はしません。認めてもらえた感じがするのでしょう。

ポイントをついた褒め方ができるのは、よく観察しているからです。本人は何も言いませんが、「今日は自分からこう動いてみた」「ここちょっとチャレンジしてみた」というポイントがあるので、それを見つけてすかさず声をかけるのです。「すごいじゃん！」と褒めちぎる必要はありません。「ここをチャレンジしてみたんだね」と言うだけで、認めてもらえたと感じます。

本人なりの努力や成長を認めることで、自己肯定感は高まるものです。

観察のポイントとは

ここであらためて伝えたいのは、観察の大切さです。

序章では心理分析のひとつに「**行動観察**」があるという話をしました。面接と心理テストだけでは、その子の本当の姿がわかりません。面接で言ったことと、普段やっていることが違うなどというのはよくあることです。相対しているときにはいい顔をする場合もあれば、逆もあります。攻撃的に振る舞ったり、どうしようもないヤツに見せかけたりする場合もあります。

日常の行動を観察することで見えてくるものがあるのです。これは親子でもそうでしょう。面と向かっているときに見える姿とは違う面があるかもしれません。普段よく親子で会話している人も、観察はできているでしょうか？　意外と、見ているようで見ていないのではないかと思います。

子どものSOSに気づくためにも、褒めたい部分を見つけるためにも、観察することです。観察していると、子どもがそのときに必要としているものを親が提供できることが増えます。

ひとりで何かしているときやきょうだいといるときの様子、友だちと遊んでいるときの様子など、観察することを習慣にしてほしいと思います。もちろん、見ることができる範囲でかまいません。

観察のポイントは、変化に注目することです。いつもと違う行動、いつもと違う表情などに注目します。とくに難しいことではありません。観察が習慣になっていれば「あれっ」と思うものです。努力や成長に気づいたなら、それを褒めることができます。

放っておくと下がっていく自己肯定感

日本人の自己肯定感の低さは以前から問題視されています。たとえば内閣府の調査によると「自分自身に満足している」若者の比率は、欧米諸国で80%台なのに対し、日本では40%台です。

近年はとくに自己肯定感が注目され、教育の現場でもさまざまな取り組みはされているようですが、あまり改善されていません。

13歳から29歳に聞いた
「自分自身に満足していますか？」

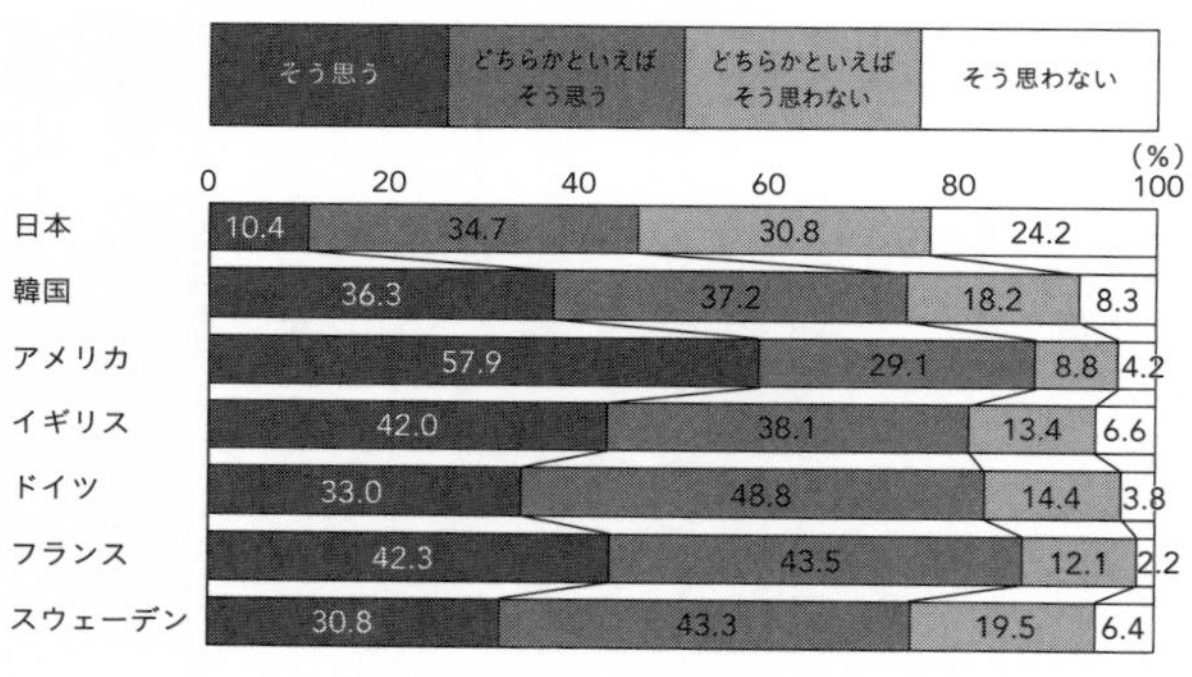

出典：「我が国と諸外国の若者の意識に関する調査（平成30年度）」（内閣府）

さらには、**成長とともに自己肯定感は下がりがち**なのです。同じく内閣府の調査によると、「いまの自分が好きだ」と答える若者の割合は年齢が上がるにつれて減少しています。

思春期になって自分についていろいろ考え始める頃には、「自分がイヤだ」と思うのも自然なことです。「友だちの誰々はすごい。それに比べて自分は……」と落ち込んだ経験は誰しもあることでしょう。

13歳頃から25歳頃の青年期は「**疾風怒濤**（しっぷうどとう）**の時代**」と言われます。心身の急速な発達にともない、不安や動揺も感じやすい時期。幼少期には高かった自己肯定感が自然と低

13歳から29歳に聞いた
「いまの自分が好きですか？」

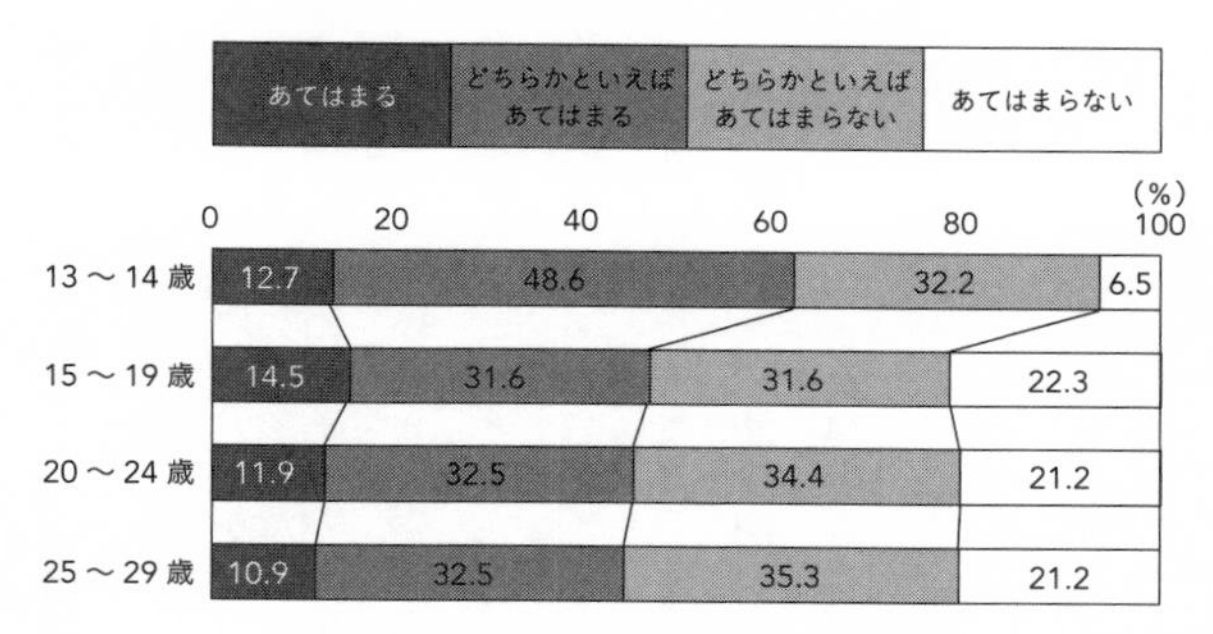

出典：「子供・若者の意識に関する調査（令和元年度）」（内閣府）

下するわけです。その中でも、自分の課題を見つけてそれをクリアし、より良い自分に向かっていくというのが正常な発達です。

親はそれを見守り、必要に応じてサポートしたいところです。他人と比べて落ち込む子に対し「あなたの存在自体に価値がある」と伝えるのも方法のひとつです。思春期になると面と向かって話をすることも少なくなるかもしれません。そこで観察力が物を言います。子どもの様子を日ごろから見ていれば、声をかけるべきときがわかるでしょう。

そして、本人が自分の課題に向かえることが大切です。

自己肯定感と似た言葉に「**自己効力感**（**セルフエフィカシー**）」があります。自己効力感とは、何らかの課題に対して「自分ならきっと解決できる」という思いを持っていることです。自己効力感が高いほど、実際に課題解決に必要な行動をとることができます。逆に、自己効力感が低いと、課題の入り口で「自分にできるはずがない」と取り掛かりもしないことが多くあります。

この自己効力感にもっとも大きく関わるのが自己肯定感です。自分の存在自体に価値があると信じることができていると、課題解決にも前向きになれます。おのずと成功体験が増え、自信につながります。

このように考えると、**幼少期に自己肯定感が低かった場合、課題の多い思春期以降に自己肯定感を高めるのは非常に困難**になることがわかるのではないでしょうか。課題に直面したときに前向きになれず、その結果、乗り越えることができずに自信を失う。そのうえ親が「できないあなたはダメだ」というメッセージを伝えれば、自己肯定感は下がる一方でしょう。

「何度言ったら」の背景にある思い込みに気づく

ヒトミの自己肯定感を蝕(むしば)んだのは「何度言ったらわかるの！」という言葉だけではありませんが、この言葉が子どもの自信を失わせるのに一役買っているのは確かです。

「何度言わせるの！」
「この間も言ったでしょう！」
「いい加減にしなさい！」

親はこう言って感情を爆発させ、「何度言ってもできないおまえはダメだ」というメッセージを伝えています。親のストレス発散にはなるかもしれませんが、問題は解決しないどころか子どもの自己肯定感を下げることになります。

それでは、何度言っても子どもがわかってくれないという問題を解決するにはどうしたらいいでしょうか。まず考えたいのは、子どもがきちんと理解できる伝え方か、ということです。

ヒトミの母親は、子どもに対し過度な要求をするのは良くないと思っていました。

そこで、直接、ああしなさい、こうしなさいと指示するのは控えていました。そのかわり第三者を褒めることで遠回しに「誰々みたいになりなさい」と要求していたわけです。これは母親自身にしてみれば理屈が通っているのでしょう。ちゃんと伝えているのに、わからないヒトミが悪いと思ってしまいました。

しかし、実際のところヒトミは親の思惑をわかっていませんでした。これは極端な例ですが、親が突然「何度言ったらわかるの！」とキレられてびっくりしたのです。これは極端な例ですが、親が「何度も伝えている」と思っていることも子どもには伝わっていないことだってあります。そういう場合は伝え方を変える必要があるでしょう。

もうひとつは、親自身の思い込みで勝手に怒っているのではないか、ということです。「何度言ったらわかるの！」は、親が子どもに対し「こうあるべき」と思っていることを裏切られたという怒りの表出です。しかし本当にそうあるべきなのか、点検してみる必要があります。ヒトミはどんなに疲れていてもまず宿題を済ませるべきなのでしょうか？

偏差値の高い学校へ行くべき、そのために宿題や勉強を頑張るべきというのは親の個人的な価値観です。言うなれば一方的な押しつけだし、思い込みです。「子どものためを思って言っている」と言うかもしれませんが、親自身が安心したいとか周囲に認められたいという親側の都合で言っていることも多いもの。

子どもは敏感に察知して反発します。

親のために生きているのではないからです。それに対し「何度言ったらわかるの！」と怒りを爆発させるのは正しいと言えるのでしょうか？

「何度言ったらわかるの！」と言いたくなったときは、自分の思い込みに気づくチャンスです。

どういうことに対して怒りを感じるのか、書き出してみてください。勉強のこと、しつけのこと、友人関係のことなど傾向が見えてくるはずです。それはあなたが大切にしている価値観なのだと思います。価値観自体は何も悪くありません。ただ、「こうあるべき」という思い込みが怒りの源になっているなら、それに気づくことが解決の一歩になります。

■「うちの子なんて」と言ってしまったら

日本人の自己肯定感の低さは、謙遜の文化からきているところもあると感じます。「すごいですね」と褒められたとき、「いえいえ自分なんてまだまだです」と謙遜するのが美徳とされる文化です。これが親同士の会話でもよくあります。相手の子どもを立てて、自分の子どもを下げる。謙遜しているわけです。

「おたくのお子さん、もう九九がすらすら言えるんですって？　賢くてすごいですね。うちの子なんて、算数がまるでダメで」

「いえいえ、賢くなんてないですよ。おたくのお子さんはよく本を読んでいてすごいなって思います」

欧米の人から見たら「なぜそんなに自分の子どもを悪く言うのか？」と驚くでしょうが、日本ではこれも人間関係を円滑にするコミュニケーション手段です。「そうなんです、うちの子できるんですよ～！　他にもこんなこともできて……」と言うほうが違和感を覚える場合が多いでしょう。自分の子どもを自慢するのはなかなか難しいものです（同じようなことは夫婦間でも言えますね。積極的に自分のパートナーをほかの人を相手に褒めちぎるなんてことはわが国ではまだまだ少数派です）。

しかし、子どもは自分のことを「うちの子なんて」と言う親を目の前で見れば、さみしい思いをするはずです。繰り返されれば自己肯定感は下がるに違いありません。日本社会の謙遜を美徳とする文化の中では、どうしても「うちの子なんて」と言ってしまうと思います。本当は第三者の前でも褒められたらいいのですが、難しいことも多いでしょう。その場では**謙遜してもいいので、あとからフォローをする**ことが大事です。

「算数がまるでダメなんて言っちゃってごめんね。あなたもできると思っているよ」
「九九が言えるって褒められて嬉しかったね。お母さんもすごいと思っているよ。あなたは賢いと思っているよ」

このように必ず伝えることで、子どもの自己肯定感を損なわずにすむでしょう。そのままにしておくのとフォローをするのとでは大きな差になっていくはずです。

第5章

「勉強しなさい」が信頼関係を破壊する

コウジのケース

罪状 殺人未遂

自宅にて父親および母親を射殺しようとした

コウジは地元で有名な進学校に通う高校2年生。小さい頃から勉強ができ、宿題を忘れたことがない優等生だ。コウジの母親は開業医として活躍しており、朝から晩まで診療にあたっている。そのため家にいなかったが、父親がよく面倒をみてくれていた。父親は穏やかであまり欲がない性格。忙しい妻を支えて家事もこなすので、生活面で困ることはなかった。

ただ、思春期になると母親からの期待の大きさが苦しくなってきた。「医院を継いでほしい」という期待だ。コウジが小学生のときに開院し、人工透析器などの導入に莫大(ばくだい)な資産を投じていた母親は、一代限りでは資金回収ができないとわかっていた。「勉強しなさい。医学部に進んで、医院を継いでほしい」とたびたび口にする。兄は勉強ができるタイプではなかったので、おのずと期待はコウジに向かった。

小学生の頃は、期待されていることが嬉しくて勉強に打ち込んでいたが、中学生になってから「なぜ自分ばかりが……」という思いが頭をよぎるようになった。兄は工業高校に進み、デザインの勉強を始めている。アニメーターになるのだという。イキイキとしている姿を見て、うらやましいと思った。

「兄ちゃんは自分で将来を選べるのに、なぜぼくはできないの？」

中学2年生のあるとき、父親に相談してみた。父親は何を言っているんだ、という顔になった。

「それはお母さんがおまえに期待しているからだろう。お母さんに認められているんだから、素直に喜んだらいい」

コウジは失望した。自分のことを本当に理解してくれる人はいないのだと感じた。母親は常に忙しくしていて家でゆっくりすることがなく、話し合えるようには思えない。

中学3年生になり、進路について学校で面談をする機会があったとき、母親がはじめて学校にやってきた。そして「この子は医者になってうちの医院を継いでくれると言っています。その目標に向けた進路指導をよろしくお願いします」と言う。コウジは「そんなこと一度も言った覚えはない」と内心強く反発したが、何も言えなかった。

そして、地域で一番の進学校に進んだが、これまでと違い成績トップになれないばかりか下位のほうをさまよった。優秀な子が集まっている中で自分の実力のなさを突き付けられた思いだ。コウジは自信を失った。勉強ができない自分のことを親はどう思うのだろう？　成績がバレないようにあれこれ画策したものの、結局すぐに知られてしまう。

「いい高校に行けたから調子に乗っているのだろう」

「こんなに期待しているのに、わかっていないのか」

両親からなじられ、いままでの不満が怒りへと変わっていった。このままでは自分は幸せになれない。両親にいなくなってもらうしかない。思いつめたコウジはひそかに兄の３Dプリンターを使って拳銃を作製し、休日の夜、家族が寝静まった頃に両親の寝室の戸を開けて拳銃を乱射した。幸い、銃は出来が悪く、両親に当たった弾は致命傷とはならなかった。コウジは父にとり押さえられる。

のちにコウジは、なぜこんなに感情が抑制できなかったのか自分でもわからないと話した。

勉強ができる「いい子」が重罪を犯す理由

勉強ができて、将来を期待されている「いい子」が突然の銃乱射。これまで家庭で暴力をふるうことは一度もなく、反抗的な態度もとったことがありませんでした。そんな子が、両親殺害に向けて周到に準備をしていたのですから、明らかな殺意がありました。結果的にコウジの両親は多少のケガをする程度でしたが、とてもショッキングな事件です。

コウジを苦しめていたのは、医院を継いでほしい、そのためにいい成績をとってほしいという親からの期待です。

期待してもらえるというのは、嬉しさもあります。実際、コウジは期待にこたえたいと頑張ってきました。しかし、大きな問題がありました。両親ともコウジの気持ちを無視していたことです。母親は一方的に期待を伝えるばかりで、話し合おうとはしていませんでした。そこでコウジは父親に相談したのに、まともに聞いてもらえず失望したのです。

もうひとつは、コウジ本人の努力を認めてあげなかったことです。高校では成績が落ちましたが、それは努力を怠ったからではありませんでした。それまでと環境が変わったことで、結果を出すのが難しくなったのです。両親はその結果だけを見て非難しました。コウジは大変なプレッシャーにさらされ、成績がバレないようにテストの結果を隠す、成績表を隠すなどしました。

このような行動はひとつのSOSです。ほかにも言動や表情にあらわれていたことでしょう。SOSに気づかず、「勉強しなさい」と追い込んだ両親の対応は間違っていたと言わざるをえません。

コウジのような「いい子」が重罪を犯す例は、現実に起こっています。過度の期待がそこまで追い込むことがあるのです。

拡大自殺に向かう心理

コウジの場合は攻撃の対象が両親でしたが、そうでないこともあります。

2022年1月15日に、大学入学共通テストの会場となっていた東大前で高校2年生の少年が男女3人を刃物で切り付け、重軽傷を負わせるという事件がありました。逮捕された少年は、東大医学部を目指して勉強をしていました。しかし、1年ほど前から成績がふるわなくなり、絶望してこの犯行を計画したといいます。東大前で人を殺害し、自分も死のうと思っていたのです。

この事件の前に世間を震撼させたものがいくつかあります。

2021年8月に小田急線の列車内で36歳の男が乗客を刃物で切りつけ、殺人未遂容疑で逮捕された事件。その後、これを模倣したとみられる列車内での事件が相次ぎました。

それから、2021年12月に大阪のクリニックに放火し、クリニック関係者と患者26名を死亡させた61歳の男の事件。この男は少なくとも10か月以上かけて計画していたといいます。クリニックに火を放ったのち、その場で自らも火に入りやがて死亡しました。

こうした一連の事件は「**拡大自殺**」と言われています。

拡大自殺とは、人生に絶望し自殺願望を抱いた者が、他人を巻き添えにして無理心中を図ろうとする現象です。自分ひとりで死ぬのはイヤだという気持ちや、自分では死にきれないので死刑にしてほしいという気持ちに加え、こんなに自分が追い込まれたのは社会が悪いからだという気持ちから、その恨みを晴らすために関係のない人を巻き込んで無差別に人を殺傷しようとするのです。

コウジは両親を殺して自分も死のうと明確に思っていたわけではありませんでした。しかし、事件を起こすことで自分が社会的に死ぬことは理解していました。当然すぐに捕まるし、学校にも行けなくなる。兄を含め家族に見放され、友人も失うだろう。これまで応援してくれた学校や塾の先生からの信頼もすべて失う。

社会的な死を遂げることも、とくに若者にとってはひとつの「自殺」です。いわゆる拡大自殺と地続きであると言えるでしょう。

このケースでは未遂に終わったことがまだ救いでした。その後、コウジは少年院で生活をしながら自分と家族の関係を見つめなおし、更生へ向けて努力するようになりました。

東大前刺傷事件もそうですが、若者の拡大自殺には青年期特有の心理的視野狭窄（しやきょうさく）が見られます。自分について考え、不安や動揺を感じやすい青年期に、強いストレスを受け続けると視野が狭くなってしまうのです。

通常なら考えられることも考えられなくなってしまい、問題解決策が見えません。そして最後には「死ぬしかない」と思い詰めてしまいます。大人はもっといろいろな選択肢があるとわかりますが、視野狭窄に陥っているとわかりません。

そして、一部の人たちは自分の影響力を社会に知らしめるため、他人を巻き添えにしようとします。社会に対する怒りから、歪んだ自己顕示欲を持っているのです。そのために周到な準備をします。計画を立て、下調べをし、武器を調達するなど、大変なこともやってのけます。準備しながら自分の考えに夢中になっているのです。

「自分が生きた証（あかし）を残すためには、この方法しかない……」

現実にはそんなはずがないのですが、ひとりで考えていると視野が狭くなる一方です。

周囲の**大人たちは、視野狭窄に陥っている子に他の選択肢があることを教えてあげ**

なければなりません。「何バカなことを考えているんだ」と頭ごなしに否定するのではなく、そう思ってしまったことは受け入れたうえで別の方法を一緒に考えることです。

動機は持っていても、実際にやらなければいい

生きていればいろいろなことがありますから、いま立派に生きている大人も一度くらいは何となく死を考えたことがあるのではないでしょうか。

「いま自分が死んだらどうなるだろう」

「家族や友人はどんな顔をするだろうか」

それでは、殺人のほうはどうですか。

「あいつがいなくなればいいのに」

「いっそ殺してしまおうか」

人を殺したいくらい憎く思い、殺害の妄想をしたことに心当たりがあるかもしれません。私にだってあります。

当然ながら、そんなふうに思ったとしてもそれ自体は罪ではありません。ときどき、「動機を持つこと自体がけしからん、ダメなのだ」と言う人がいますが、動機を持つこと自体はかまわないのです。潔白な顔をしていても、動機を持っている人はいくらでもいます。ただやっていないだけです。

実際にやるか、やらないか。問題はそこです。

「死にたいなんて思っちゃダメだ」

「人を殺したいなんて思っちゃダメだ」

そうやって否定するのではなく、気持ち自体は受け入れることが大事です。そう思ってしまう理由があるのですから。それに寄り添わなければ問題は解決しません。むしろエスカレートしていくおそれがあります。

犯罪や非行を防ぐ、「リスクとコスト」とは?

犯罪の動機はあっても、普通は実行にうつしません。リスクが高いうえに失うものが大きすぎるからです。犯罪を防ぐための考え方として、私は長年、「**リスクとコスト**」

の概念を使って説明しています。

リスクとは検挙される危険性の高さ、コストとは捕まる・捕まらないにかかわらず罪を犯すことで失うもの、犠牲になるものの大きさのことです。

従来は、経済学の理論を使って「コスト・パフォーマンス」で犯罪を説明しようとしていたこともありました。いわゆる「コスパ」です。少ない労力で多くのものを得られるなら犯罪を実行するし、逆の場合は割に合わないので犯罪を思いとどまるという考え方です。私も学生の頃は「そんなものかな」と思っていました。

しかし、実際に犯罪者たちと面接をするようになると、**「コスパ」で考えて行動している人なんてほとんどいない**ことに気づきました。ものすごい労力をかけて、小さなものを盗む人もいます。コスパで考えたらありえないのです。それでは何によって思いとどまることができるのか。多くの犯罪者に面接をし、話を聞く中で、「リスクとコスト」の考え方にたどり着きました。

リスクとコスト。どういうことでしょうか？

以前の警察がよく言っていたのは「検挙に勝る防犯なし」でした。検挙率を上げて、

「そういうことをしたら絶対捕まるよ」と示せば防犯になるという考えです。

しかしそれだけではうまくいきません。「検挙に勝る防犯なし」では、すでに犯罪が起き、被害者が発生してしまっています。ことが起きてから行動するのではなく、その前に犯罪が起こらない仕組みを考えなくてはならない。私は、犯罪者が犯罪という攻撃行動に出る前に、その行動を抑制・抑止するにはどうすればいいのかを考えました。犯罪の動機を持っていたとしても、実際に行動にうつさなければいいのです。

たとえば、ある少年が自宅にいるときに、近所のコンビニエンスストアで万引きすることを思いついたとします。この時点で動機は形成されています。しかし、実際に万引きをするまでには、たくさんの判断をすることになります。たとえば、自分の部屋から出るかどうか。靴を履いて家を出るかどうか。行動を前に進めるにあたってYES／NOの選択をし続けます。私たちも普段無意識にやっていることです。

YESを選択し続けながら、コンビニに近づきました。いよいよ万引きが目の前です。そのとき、「こんばんは！」と誰かに挨拶をされたとします。すると、それだけで思いとどまる人が多くいます。いきなりのNOの選択です。犯行の前に誰かに会ったという事実は、検挙されるリスクを高めるからです。つまり、見られてしまったから、今回はやめておこうというわけです。

挨拶をした側は挨拶運動の一環かもしれませんが、犯罪の動機を持っていた側からすると大きな意味を持ちます。そして、普通に買い物をして帰って来ることになります。

このたとえで軸となっているのが、まさにリスクとコストです。地域の人たちがよく挨拶をしていれば、「犯行がバレる」と思ってふみとどまる人がいるでしょう。リスクが高いと判断されるわけです。街がきれいであれば、自分の行いが目立ち、捕まりやすいのでやはりリスクが高くなります。

また、地域の人たちといい関係が築けていれば、それはコストになります。犯罪を実行にうつせば地域の人たちとの関係が壊れてしまうからです。

挨拶を交わすくらいの関係でもいいのです。みんなが自分を見ていてくれるという感覚があると大きく違います。**コスト、つまり失う信頼が大きいと感じるほど、悪いことを思いとどまる**ことになります。

最大のコストは家族

本来、**最大のコストとなるのは家族**です。犯罪の計画を立てている最中にも、家族の顔が思い浮かんで「悲しませるだろうな」と思えばふみとどまるはずなのです。これは家族との間に信頼関係があることが前提です。親に信頼してもらっている、その信頼を裏切れないと思うからコストになります。家族からの信頼を失うことは耐えがたい苦しみです。

そのほか、友人や親戚、学校の先生などお世話になった人たちの顔がいかに思い浮かぶか。失いたくない、悲しませたくないと感じる関係はすべてコストです。

また、社会的地位や仕事、住んでいる地域や場所などもコストになります。

コストが大きいほど、たとえ犯罪が頭をよぎっても「バカなことを考えたものだ」と自分で思って打ち消すでしょう。

逆にコストが少ない場合、動機から実行までがストレートにつながってしまいます。家族の関係が悪く、友人もいない。孤独である。地位も仕事もない。いま住んでいるところに未練もない。そんな状態で犯罪の動機が形成されていたら、思いとどまらせるのは困難になります。検挙されて懲罰を受けるというリスクの観点から止めるしかありません。

リスクもコストも関係ないような犯罪者は俗に「**無敵の人**」と呼ばれています。失うものが何もなく、捕まってもかまわないという人です。152ページで述べた拡大自殺はまさにそう。もともと死ぬ気ですから罪を犯すことに躊躇がありません。無差別に人を攻撃し、多くの人を巻き込んで自殺しようとします。自分では死ぬことができないので、死刑にしてもらいたいという人もいます。

また、私がまさに本書の執筆を終えようとしていた2022年7月8日には、元首相の安倍晋三氏が銃撃され亡くなるという事件がありました。犯人の動機や経緯については、まだ詳しく分析できる状況ではありませんが、これも事件の重大性を考慮しない「無敵の人」と考えていいと思います。

もちろん、「無敵の人」は滅多にいません。犯罪者の中でも稀（まれ）なケースです。ただし、最近は以前より増えている気がしています。

一番は家族、それから地域や周囲の人たちがいま以上にコストとなる社会を目指したいものです。非行や犯罪に限った話ではありません。子どもが勉強や趣味に精を出して成長するのには、「周囲を喜ばせたい」というようにコストがプラスに働いています。

■「競争に負けたら終わり」ではない

東大前刺傷事件などを見て、受験などの競争が子どもを追い込むのではないか、という考えもあるでしょう。

近年、中学受験を目指す人が増え、塾へ通う子どもたちも年々低年齢化しています。中学受験をテーマにした小説やドラマなども注目を浴びています。そこには子どもに期待する親の葛藤（かっとう）や、その期待にこたえようとしながら壁にぶち当たる子どもたちの様子が描かれています。

受験のための塾のみならず、少子化にともない、子ども一人ひとりにかける教育費は増加しています。変化の激しい時代で先行きが見えないからこそ、「子どもにできることをしてあげたい」という親心があるのだと思います。ただ、親が期待をかけすぎて子どもを精神的に追い込むのは良くありません。

受験がひとつのわかりやすい例ですが、教育の場でも競争原理が働くことがよくあります。私は競争自体は悪いことではないと思っています。競争に勝ちたいから頑張れるということはあるでしょう。成績順に名前を掲示するなどの競争をあおるやり方もかまわないと思います。

大事なのは、競争の結果がどうであれ存在自体は尊重されるんだという価値づけです。これは前章の自己肯定感の話に通じます。受験を勝ち抜こうが失敗しようが、その子自身の存在に価値があるという前提のうえで、競争に向かうことが大事です。

競争は目標に向けて頑張るための仕組みのひとつにすぎず、負けたら終わりではありません。たとえば東大の医学部を受験したら、それを勝ち抜く人は限られた人だけです。ただ、誰でも受験するチャンスはあります。チャンスがあれば頑張ることができます。そして、結果が不合格であったとしても頑張ったこと自体の価値は下がりません。その人自身の価値も下がることはないのです。

ですから、競争が良くない、受験が良くないということではありません。子どもが精神的に追い込まれるのは「負けたら終わり」だと思うからです。親は子どもに期待をしても、「負けたら終わり」と思わせないようにしなくてはなりません。

■勉強しなさいと言うほどやりたくなくなる、ブーメラン効果

コウジの親は「勉強しなさい」と繰り返し伝えていました。

親は勉強ができるコウジに期待をして言ったのであり、ある程度までは効果があったと言えます。しかし、逆の面もありました。心理学でいう「**ブーメラン効果**」です。

ブーメラン効果とは、相手を一生懸命に説得するほど、反発が起こって逆の行動を導いてしまうという現象のことです。人は行動を強制されると、それに反発したくなるもの。意識的にも無意識的にも自由を求めており、自由が侵されたと感じるからです。「勉強しなさい」と言われてやる気がなくなった、という経験を持つ人も多いのではないでしょうか。

「買わないと損ですよ！」と強くすすめられると買いたくなくなる。

「どうか私に清き一票を！」と強くアピールされると投票したくなくなる。
こういった例もブーメラン効果で説明ができます。

ブーメラン効果が起きやすい条件が2つあります。ひとつは「説得者と同じ意見であるとき」。自分の意見と反対のことを説得されるから反発したくなるのではないかと考えてしまいますが、そうではないのです。「自分でそうしようと思っていたのに！」というときに反発して、逆の行動をとろうとします。勉強しようと思っているときに「勉強しなさい」と言われると、やりたくなくなるわけです。

コウジは勉強が得意で、勉強する楽しさ・喜びもわかっていました。自らやろうという気があったのに、勉強するよう親から説得されていた。反発心が起こるのは自然な心の作用です。

もうひとつは、「説得者を信用していないとき」。はじめて会った人に説得されたら、反発したくなるのが普通だと思います。不信感を持っている相手もそうです。逆に、信頼している人から「〇〇しなさい」と言われれば、「強制されている」「自由が侵されている」とは感じません。

コウジも、母親と信頼関係が築けていれば違ったはずです。「勉強しなさい」と言われても、そこまで不満が蓄積しなかったことでしょう。ただ、コウジの母親は自分の仕事を優先しすぎていました。話し合う時間を設けず、一方的に「勉強しなさい」というばかりです。しかも、コウジは兄が自由にしているのを間近で見ていました。「なぜ自分だけが自由を奪われるのか」と不満に思うことは容易に想像がつきます。

勉強をしないことを選択して堂々とできればまだよかったのですが、コウジは反発心を抱きながら勉強を続けました。そしてついに爆発してしまったのです。

勉強以外の話題を持つ

親は勉強に関して心配しがちですが、親子での**話題が勉強にかたより過ぎていると危険**です。子どもが話すのが勉強に関するものばかりであれば、それは親が勉強以外の話題を遠ざけているということです。**子どもは親の顔色を見て話題を選んでいます。**

本来、子どもの興味関心は勉強だけではありません。友だちのこと、スポーツなどの趣味、ゲーム、テレビ、YouTubeなど話題はいろいろあるはずです。

しかし、テストでいい点をとった話や授業中に活躍した話などは一生懸命聞くのに、友だちの話、趣味の話は「へぇ」とそっけない返事。むしろ「そんなことより、テスト勉強は大丈夫なの?」と言われてしまう……ということを繰り返すと、勉強の話ばかりするようになるのです。

勉強の話なら聞いてもらえると感じた子は、いろいろ無理をするようになります。できているうちはいいですが、普通は限界がくるのです。コウジのように悪い成績は隠すし、嘘をついてでも聞いてもらおう、認めてもらおうとするようになります。もはやその子にとって勉強は楽しいものではないでしょう。

受験期などで本人の生活が勉強中心となっているときも、親子での話題が勉強ばかりでは息が詰まります。他の**さまざまな話をしてリフレッシュできたほうが、やる気も湧いてくる**ものです。

勉強や成績のことは、幅広い話題のうちのひとつと考えることです。

■勉強につまずいたら、スモールステップを考える

もちろん、勉強はしないよりしたほうがいいと言えます。本来、勉強は楽しいものです。知らなかったことを知ることができ、ものの見方を広げてくれます。

世界中のニュースを面白がれるのも、前提の知識があるからです。学ぶほどに、さまざまな情報を深く解釈し、自分の人生に役立てていくことができます。教養は人生を豊かにしてくれるものです。

親は、**「勉強をしなさい」とただ伝えるのではなく、勉強の面白さを伝える**ことが大事です。

とはいえ、学習の中では面白く思えない単元や教科もあるでしょう。本当の面白さがわかる前に、理解しておくべきところ、練習しておくべきところというのもあります。「こんなことを学んで何の役に立つの?」「全然面白くない」という子も出てきます。

みなさんも中学生の頃、「1192(いいくに)つくろう鎌倉幕府」というような

語呂合わせで歴史を覚えた人が多いでしょう。しかし、今から800年も前のことを記憶して何になるんだと率直な疑問を抱いた人も多いと思います。しかし、今の我々の生活は歴史を通して作られたもの、過去を知らなければ現在を理解できないものです。

ただ、それを理解できるのはずっと大人になってからです。学んでいる最中は「なんで……」と思うことばかりです。

やみくもに「勉強しなさい」と言っても、子どもはますますイヤになるだけです。つまずいている部分があるなら、106ページで示したように、課題をスモールステップに分けてみましょう。目標を細分化して、小さな目標を達成することを積み重ねながら、最終的な目標にたどりつくやり方です。

たとえば、作文が苦手だという子がいたとします。目標は400字詰めの原稿用紙にまとまった内容の文章を書くことです。これをスモールステップに分けてやっていくと、次のようになるでしょう。

1．原稿用紙の使い方を理解する
2．夏休みのできごとをメモ書きする
3．「いつ、どこで、誰と、何をした」という事実と、感想に分けて書いてみる
4．原稿用紙に清書する

こうしてスモールステップに分けると、まず何をすればいいかがわかります。そして、一つひとつクリアすることで達成感を得られるのがいいところです。小さな成功を重ねることが大事です。「できた」と思えば面白くなってくるものです。

この方法をとることで、親も結果だけを見るのではなく、プロセスにフォーカスできます。「まずはこのステップをやってみよう」と促し、取り組んだこと自体を褒めます。プロセスを褒められると、子どもは「もっとやってみよう」と思えるのです。

第6章

「気をつけて！」が共感性を破壊する

マイのケース

罪状 詐欺（投資詐欺）
複数の高齢者に対し架空の出資を促し、およそ500万円を受け取った

マイが幼い頃、両親がレストランを始めた。家族経営の小さなレストランだが、地域ではすぐに人気が出た。忙しい父母にかわって面倒を見てくれたのが祖母のカズヨだ。カズヨは公立小学校の校長をしていた教育者で、たったひとりの孫のために全身全霊で教育にあたっていた。マイの父親は、教師であったカズヨをとても尊敬しており、子育てについてはカズヨに任せっきりのところがあった。

母親はといえば、義母であるカズヨに対し大きな引け目を感じていた。自分が高卒であるのに対して、カズヨは校長を退職後も地域の民生委員を務めるなど、地域の評価が高かったからだ。

カズヨはマイを非常にかわいがる半面、心配性なところがあった。何かにつけて「危ないことはしちゃダメよ」「気をつけないとね」と言う。

同年代の子がブランコで遊んでいるのを見て、マイもブランコに乗ろうとすると、

「おばあちゃんが昔いた学校で、ブランコのチェーンに指を挟まれて大ケガした子がいるの。危ないからやめておこうね」

川のそばに咲く花を摘もうと土手を下りようとすると、

「足をすべらせて川に落ち、なくなった子がいるのよ」

などと話してやめさせる。

マイは小さい頃はあまり疑問に思わなかったが、小学校高学年になり周囲の子たちが友だち同士だけで遊ぶようになると自分もそうしたいと思うようになった。

「みんなでショッピングモールに行くんだって。私も行っていいでしょ？」

ところがカズヨは一切認めようとしない。

「私は心配で倒れるかもしれない。それでもいいなら行きなさい」

脅しのような言葉に、マイは遊びに行くのをあきらめた。

こうしてマイはクラスの中でも浮いてしまうことが多くなった。

中学生になり、塾や部活などの理由がつけられるようになると、さすがにカズヨの監督下から少し抜け出せるようになった。マイは家ではいい子のふりをしつつ、外では不良グループと付き合うようになった。ミーハーなところもあったので、高校からはティーン誌の読者モデルも始めた。洋服やアクセサリーをバンバン買うので、お小遣いはすぐに底をつく。

大学生になってバイトを始めたが、金遣いの荒いマイには焼け石に水だ。そこで思いついたのは、両親のレストランの売上金を盗むこと。多少抜き取ってもバレなかったので、何度も犯行を繰り返した。しかし、一度に盗める金額には限りがある。今度はカズヨのタンス貯金に手をつけた。これまでさんざん自分を抑圧してきた代償を支払ってもらう気持ちで盗るので、とくに悪いことをしている認識はない。

さらに大金を手に入れたくなったマイは、特殊詐欺の記事を見て「これだ」と思った。レストランによく来る高齢者をターゲットに、「うちのお店、3年後にリニューアルオープンして大規模店になる予定なの。いま出資してくれれば、高い配当を得られるよ。でもこれは内緒の話だから誰にも言わないでね」という話をした。

その際、「これはおばあちゃんからの話なんだ」と、地元の名士である祖母の看板を使った。これによって500万円ほど騙し取ることに成功した。しかし、当然ながら配当をすることはできず、マイは逮捕されることとなった。

人の気持ちがわからない悲劇

少年鑑別所で面接をした際、マイは「とくに悪いことをしたとは思っていない。被害者の気持ちとか言われても、金儲(もう)けの話に目がくらんだだけじゃん。そんなうまい話に簡単に乗るほうがどうかしている」と話していました。共感能力が低く、被害者の気持ちを想像するのが難しいのもあって、なかなか内省が深まりませんでした。

しかし、少年院に送致(そうち)され、そこでの面接や更生プログラムを通じて、次第に気づくようになっていきました。

「ああ、私から内緒の話をもちかけられて嬉しいと思ってくれたんだ。私はそれを裏切ったんだ……」

そんなふうに被害者の気持ちを考えられるようになるまで、時間がかかったのは確かです。

マイは同年代の子たちと関わる体験が圧倒的に不足していました。心配性の祖母が何でも先回りして失敗させせないように動き、子どもだけで遊ぶことを禁じていたからです。いわゆる過保護・過干渉によって、共感性が育つ機会が奪われていたと言えます。

共感とは、他者の気持ちが自分のことのようにわかることです。その前提には2つあります。ひとつは**「人の感情を正確に認知できる」**。目の前の人が怒っているのか、泣いているのかといった、感情を表情などから読み取って認知することです。

もうひとつは**「人の感情を正確に推測できる」**。笑っているけれど、悲しい。冷静にしているけれど、怒っている。認知に基づきながら、相手の気持ちを推測できることが必要です。それではじめて共感能力を発揮することができるのです。

共感性はさまざまな人とのリアルなコミュニケーションから育まれます。ちょっとしたひと言で傷ついたり、ケンカになったり仲直りしたりと、対人関係上の失敗も共感能力を高めてくれます。普通は幼少時に小さなトラブルをいくつも経験しながら、共感性を育みます。自分の言動で相手がどう思うのかを考えることができるようになるのです。ところが、マイはそうした経験ができないままに育ってしまいました。

思春期になって、マイはクラスの中で自分が浮いた存在であることを自覚します。クラスメイトたちの中でもうまくコミュニケーションをとることができません。自分の話ばかりしたり、余計なひと言を言って相手を傷つけたりしがちでした。仲良くしたくても、どうすればいいのかよくわからないのです。孤独感を感じたマイは、祖母を恨みました。

「おばあちゃんのせいだ。おばあちゃんが何でもかんでもダメだって言うから、私はこんなふうになっちゃったんだ」

そして、祖母の抑圧から助け出してくれない両親に対しても敵意を持つようになりました。レストランの売上金からお金を抜き取るのも、祖母のタンス貯金に手をつけるのも「このくらいやって当然」という感覚です。そうして家庭内窃盗を繰り返すうちに罪悪感もうすれ、投資詐欺に発展しました。

マイに限らず、こうした窃盗や詐欺を行う非行少年・犯罪者は共感性が低い傾向があります。「騙されるほうが悪い」と言って、被害者の気持ちを考えようとしません。

しかし、当然ながら騙すほうが100%悪いのです。

相手が欲にかられたからと言って、犯罪をしていいことにはなりません。「騙されるほうも騙されるほうだ」という言い方がされることがありますが、それは犯罪者側の理屈です。

「私は悪くない」――合理化の心理

騙されるほうが悪いのだ、お金に目がくらんだからいけないんだといった**理屈をつけることを、心理学では「合理化」といいます**。欲求不満や葛藤などから自分の心を守るために働く防衛機制のひとつです。人を騙してお金を奪うのは悪いことだとわかっているし、**罪悪感があるからこそ、心を守るために合理化する**わけです。

ほとんどの非行少年・犯罪者は合理化を行っています。

「こういう理由があったから、仕方なかったんだ」

そう思おうとします。「言い訳するな！」と言いたくなるところですが、第三者への説明としての「言い訳」とはちょっと違うのです。自分の心を守るために、自分で理屈をつけているわけで、「言い訳するな！」と叱っても意味がありません。まずは認めることが大事です。「そういう理由があったから、仕方なかったと思っているんだね」と言うことです。

もちろん、「仕方なかった」で終わってはいけません。それでは内省が深まらず、更生に向かうことができません。ただ、いったん合理化をして心を守らないと先に進めないのです。更生を見守る側の大人は、それを受け入れる必要があります。それでようやく被害者の気持ちや罪の重さに気づいていくことができます。

悪いことをした子どもを叱るときも、まずは言い訳を聞いてあげることが大事です。子どもの言い訳は、自分の心を落ち着かせるためにやっていることが多いです。合理化をさせてあげることは、その子の心を守るために重要なのです。そして、とことん言い訳をすれば、自分で矛盾を感じるようになります。これが重要です。自分で気づいて、先に進めるようになります。

ですから、「騙すほうが100%悪い」という事実は変わらないけれども、「騙されるほうが悪い」という非行少年の言葉をいったんは受け入れることが大事なのです。

なお、心を守るための合理化とはちょっと違う、歪んだ理屈を並べるだけの場合は**「冷情性」**を疑うことになります。極端に共感性が低く、人としての温かな感情を欠いていることを心理学では「冷情性」と言います。お世話になった人をあっさり裏切って、金品を盗んだり騙し取ったりするようなタイプに冷情性が見られます。

冷情性のある人はめったにいませんから、普通はそれを心配する必要はありません。ただ、あまりにも平気で人を裏切ることが多い場合は、冷情性を疑うことになります。十分気をつけなければならないでしょう。

共感性と道徳性

共感性と道徳性には密接な関係があります。

道徳性とは、人としてより良く生きようとする行為を生み出す社会的能力のことです。社会の中で大多数の人が共有している価値観やルールに沿って、より健全で快適な共同生活を送ることができるように、判断、行動をする能力です。

学校では道徳教育が行われていますし、家庭でも教えるべきことのひとつです。たとえば、「ちゃんと並んで順番を守りなさい」というルール。社会の中でみんなが快適に過ごすために必要なものですが、自然にできるわけではありません。小さい頃は順番を守ることができず、割り込みをしたり、友だちが遊んでいる遊具を取り上げたりしてしまいます。まだ他者を意識できていない発達途中では仕方ないことです。「順番を守ろうね」と教えてあげるのは親の役割でしょう。ルールを知り、本人も快適に過ごせるようにしてあげる必要があります。

最初は「順番を守るように言われたからそうする」ということでいいのです。ルールを覚え、無用なトラブルを起こすことなく過ごせるのが第一段階です。次に、共感性に基づく判断ができることが重要です。「私が順番を守らないと、ちゃんと並んでいる人はどういう気持ちになるだろうか」と考えることができ、自分でより良い選択ができるということです。

ルールを教えることは前提として大事ですが、それだけではもろいものです。「人のものを盗ってはいけない」「嘘をついてはいけない」などということは当然わかっています。それでもやってしまうのは、道徳的判断をする能力が低いということであり、共感性の低さと関係があるのです。

「気をつけて！」がダメな理由

マイの祖母カズヨは、かわいい孫に「イヤな思いをさせたくない」「つらい気持ちになってほしくない」という気持ちが強く、何でも先回りして「気をつけて！」と言い続けてきました。よかれと思ってやってきたのです。

しかし、どう見ても過保護・過干渉でした。せめて両親がもう少しフォローできたら良かったのですが、それもありませんでした。その結果、マイは危険を自分で察知して判断する能力が低く、危険なことにも簡単に手を出してしまうようになりました。同時に共感性が低く、相手の気持ちを推し量ることが苦手になってしまいました。

「気をつけて！」と何でも制止すれば、子どもは経験のチャンスを失います。経験にはポジティブな面もネガティブな面もあり、失敗して落ち込んだりイヤな気持ちになったりすることだってあるでしょう。しかしそれが成長の糧（かて）なのです。

たとえばハロウィンパーティーに誘われて行ってみたら、みんな仮装をしていて普段着の自分は恥ずかしい思いをしたとします。すると、次からはどういう服で行ったらいいか事前に確認しようと思うでしょう。自分が人を誘うときは、来てくれた人が恥ずかしい思いをしないようにあらかじめ服装について教えてあげようと思うでしょう。

こういった小さな失敗で致命的なことが起こるわけではありません。先回りして何でも教えていたり、そもそも「パーティーなんてやめておきなさい」と止めていたりしたら、その子は経験ができないのです。

もちろん、本当に危ないことは止めなければいけません。

子どもが切り立った川岸に向かっているのに自由にさせていてはダメです。落ちたら死んでしまいます。親はまず危険の大きさに関する判断を整理することが必要です。一番の軸は身体生命の安全に関わるかどうか。それ以外はどこまで許容できるかです。

心配でつい口を出したくなる気持ちはわかります。しかし、親はいつまでもついていてあげられるわけではありません。親が「転ばぬ先の杖」となって転ばせなければ、転んだ経験のない子は自分で何に気をつけたらいいかわからないのです。**本当に子ど**

ものためを思ったら、あえて失敗させてあげることです。

とくに対人関係の失敗は共感性を育てます。友だちに「誰にも言わないでね」と言って打ち明けられた話をうっかり人に言ってしまった。機嫌が悪いときに友だちがふざけてきたのでカッとしてひどいことを言ってしまった。そんな失敗も学びになります。

もし子どもが「だって○○ちゃんはいつも自分勝手だから、バカって言いたくなるのも仕方ないよ」と話したら、「そう思ったんだね」と言い訳を否定せず聞いてあげましょう。

たくさん話しているうちに自分で「でもあの言い方はちょっとひどかったかな。傷ついていると思うから、明日あやまろうかな」と気づくかもしれません。自分ひとりでは内省が深まらないようなら、「○○ちゃんはどう感じたかな？」というように促してあげるのがいいでしょう。**親の考えを言うのではなく、本人に考えさせてあげる**ことです。

子どもの頃に何を経験したかが、その後の人生に長期的な影響をおよぼします。以前は発達心理学といえば子どもから青年期頃までが研究の対象でした。しかし現代では生涯発達心理学といって、生涯を通して発達が続くという視点で人の一生を探求する学問も注目されるようになっています。これだけ高齢化が進んだ社会で、大人になって以降もどう行動し、どう生きるかというのは重要なテーマなのです。

年をとってからも学ぶことはできるし、体力は落ちても心理的な発達は続くわけですが、どうしても子どもの頃の経験がベースになります。

自立した大人になるためというだけでなく、一生に影響するのだということも知っておいてほしいことです。

反省ではなく、内省を促す

共感性が低く自己中心的な考え方をしていると、なかなか内省が深まらないという話をしました。

内省は「反省」に似ていますが、別のものです。自分自身の心に向き合い、自らの言動や考え方について客観的に振り返って分析することです。気づきを得ることを目的にしています。

一方、反省とは、自分の言動や考え方の良くなかった点を振り返り、改めようとすることの意味で使われます。

問題行動があったとき、大人は「反省しなさい」と言いがちです。しかし、残念ながらこの言葉には意味がないことが多いです。

「ごめんなさい。悪いことをしました。もうしません」

そんな言葉を引き出すことに成功しても、本人は心の中で舌を出していることはよくあります。自分自身の心に向き合わないまま、反省の言葉を言わされているだけだからです。

私が見てきた非行少年はとくに反省を表現することに慣れていて、いくらでも言うことができました。それこそお経のように唱えることができるので、感心するくらいです。神妙な顔をするのも得意です。しかし、反省の言葉と表情がどれだけうまくなっても、それが何になるというのでしょうか。

最初はきっと、言い訳をしたに違いありません。

「こういう理由があったから、仕方なかったんだ」

それに対して「言い訳するな！　反省しろ」と余計に叱られるようなことを繰り返すと、言い訳をしなくなります。

「ごめんなさい、私のせいでこんなに迷惑をかけてしまいました。これからは心を入れ替えて頑張ります」

このように反省上手になります。しかし、内省していないので同じようなことを繰り返すのです。

さらには、「反省しなさい」という言葉は抑圧を生みます。その子が抱えている不満を聞いてあげることなく一方的に反省を押しつければ、不満はどんどん蓄積し、いずれ爆発するでしょう。

繰り返しますが大事なのは内省です。自分の言動や考え方を振り返るのが苦手な子に対しては、「どうしてこういう行動をしたの？」「そのときどう思ったの？」と問いかけて内省を促します。「ここが良くなかったよね」「こんなことしたら、相手は怒るに決まっているよね」などと指摘するのではなく、本人に気づかせてあげてください。

自分の気持ちに向き合う、ロールレタリングという方法

内省のための手法に**「ロールレタリング」**というものがあります。81ページでお話しした内観療法と並んで、少年院や刑務所の更生プログラムのひとつとしてよく行われています。これも非常に簡単で、特別な準備はいりません。紙と鉛筆さえあればOKです。家庭の中でもすぐに取り入れられますのでご紹介したいと思います。

ロールレタリングという名称は、ロールプレイングからきています。役割を演じながら手紙を交換することから「役割書簡法」「役割交換書簡法」とも呼ばれています。

自分から母親など特定の人物に手紙を書き、次に相手から自分への手紙（返事）を書く。これをすべて自分ひとりで行います。書いた手紙は実際には投函しません。相手に見せることはないので、素直に感じたままを書くことができます。

自分と相手、双方の役割を体験しながら、自分の心に向き合い、気づきを得ること

が目的です。

手紙を書く相手は、本人の人格形成に深く関わった人、すなわち両親や祖父母、きょうだい、先生などです。非行において被害者がいる場合は、被害者に向けて手紙を書く場合もあります。

具体的にどのようなものか見てみましょう。実際のロールレタリング事例を載せることはプライバシーの観点からできませんので、あくまで事実をもとにした創作です。読みやすいようにひらがなを漢字に直したりもしています。ただ、これでもけっこうリアルです。

覚せい剤事犯で少年院に入院したN君が行ったロールレタリング事例です。最初に、N君から母親に向けて手紙を書きました。

【手紙①　自分から母親へ】

お母さん、今回はひどいことをしてごめんなさい。
あんなに二度と悪いことはしないと決めて、お母さんにも約束していたのに、裏切ってしまいました。小さい頃からあまり迷惑をかけないようにと思って暮らしてきましたが、まさかこんなことで少年院に入るとは思いませんでした。

もちろん薬をやってはいけないことは知っています。でも我慢ができませんでした。

生きていくのがめんどくさいと思ったときに、薬にまた逃げてしまいました。

どうしてこんなに弱い人間なんだろう。自分がイヤになります。

きっとお母さんも同じでしょう。僕の面倒を見るのはもうこりごりだと思っているでしょう。本当にごめんなさい。もう薬は二度とやらないと心から誓います。

○○（弟）は、元気ですか。

私が少年院に入ったことは知っているのでしょうか。できれば知らせないでいてくれたらと思います。少年院に入っている兄なんて、きっと大嫌いでしょうね。
誰からも見放されてしまっても仕方ないことだと思います。
できれば面会には来てください。
直接、あやまりたいです。

私は非行少年のロールレタリングを山ほど見てきましたが、この例のように親への手紙については「ごめんなさい」から入ることが多いです。実際に相手に見せるわけではないので反省するフリは必要ありません。本当に「迷惑をかけてしまった」という思いが強いのでしょう。同時に、「もっとこうしたかったけれど、こういう理由でできなかった」といった合理化の言葉が見えます。
次に、母親の立場になって自分で自分に返事を書きます。

【手紙②　母親から自分へ】

手紙を読みました。

あなたは、自分のしたことの大きさを理解していますか。

裏切るって書いてありましたが、なぜそんなことになったのですか。

最初に捕まったとき、あなたは私の前で二度と悪いことはしないと泣いてあやまりました。

それなのにどうして。

自分の子育てが失敗だったことを今回のことで知りました。

今後は親子ということではなく、私と関係のない人生を歩んでいってください。

もうこりごりです。

そもそも薬に逃げるって何ですか。

そんなに弱い人間に育てた覚えはありません。

少年院で自分を叩き直してください。

面会にも行きたくありません。

あなたの顔を見るのもイヤです。

かなり厳しい手紙ですが、これも自分で書いているわけです。この例のように、最初は敵対的に書くことが多いです。

しかし、さらに返信を書くことを繰り返していくうちに、変化していきます。手紙のかたちをとることで、自分のことも相手のことも客観視できるようになるのです。自分の弱いところ、改善したいところが具体的に見つかるようになり、敵対的な相手ともすり合わせるポイントが見えてきます。手紙の中での相手との関係も良くなっていくのです。

【手紙③　自分から母親へ】

お返事ありがとうございました。

お母さんの気持ち、当然です。

何でこんなに弱い人間になってしまったのか、自分でもわかりません。

薬に逃げるっていいながら、たぶん人生から逃げていたんだと思います。

受験とか部活とかみんな中途半端にして、何ひとつちゃんとできていませんでした。

そんな自分が何だかみじめで、毎日が楽しくなくて、落ち込んでばかりいました。

そんなときもお母さんはいつも声をかけてくれていました。

とっても忙しいのに、「どうしたの」と心配してくれました。

でもそのお母さんを裏切ってしまいました。

自分には生きている価値がないのかなとも考えてしまいます。

少年院では自分を見つめなおす時間をたくさん持っています。

そんな中で、今までの自分のダメなところばかりが見えてきました。伝えるのがヘタで、すぐにあきらめてしまうし、たくさん嘘もついてきました。

〇〇（弟）は何でも上手にできるのに、情けないです。

いいところが見つかりません。

どうしてこんな風になってしまったのか。

じっくり考えてみます。

【手紙④　母親から自分へ】

あなたの一番のいいところは、気持ちのやさしいところです。

もちろん人を裏切る行為、それは許されるものではありません。

顔も見たくないと思う気持ちも変わりません。

ただ、自分をもっと大事にすべきです。

あなたは小さい頃から、浮かない顔をしているときに「どうしたの」と聞くと、いつも「何でもない」って言っていました。

私が心配すると思って、きっと答えられなかったんでしょうね。

私が仕事と介護ですごく忙しいのを知っていたから、何も言えなかったんでしょう。

誰にも相談できずに、知らないうちに大きな悩みを抱えていた。それに気づいてやれなかったことは悪かったなと思います。

私も余裕がなかったので、あなたの「何でもない」をそのまま受け取ってしまいました。

でもだからと言って薬を使っていいことにはなりません。
自分に向き合う時間が多いなら、過去をきちんと清算すべきです。
あなたが本当に変わりたいと思っているなら、私も手伝います。
どう変わるのか、どう変わったのか、また教えてください。

N君はロールレタリングを通じて、はじめて母親の気持ちを深く考えることになりました。自分を認めてくれている部分があることや、母親自身の苦しみにも気づくことができました。そして、今後どうしたいかを考えることができるようになったのです。

すでにお話しした**内観療法とセットでやると、さらに内省が深まります**。

マイも最初は自己中心的な考え方をしていましたが、少年院における内観療法やロールレタリングを通じてさまざまなことに気づいていきました。

祖母に対しては「もっと自由にさせてほしかった。自分のことを信じてほしかった」という思いが出てくると同時に、祖母が自分を立派な子に育てなければと強いプレッシャーを感じていたことにも気づきました。「おばあちゃんを安心させるような言葉をもっと言ってあげたらよかった」など、すり合わせるポイントを見つけようとし始めたのです。

まずはこの本をお読みのあなたが体験してみるといいでしょう。自分の親やきょうだい、子どもなど家族、あるいは職場の人に対して書くのでもいいと思います。

子どもにやらせる場合は、反省させるのが目的ではないことに気をつけてください。子どもが書いた手紙を見てあげるのはかまいませんが、書き方を指示してはいけません。反省文を書かせるようなつもりでいると、本来の効果は得られません。基本的には、「相手には見せない手紙」として率直に自分の気持ちを書き出し、相手側の視点にも立つことで客観的に自分を振り返って気づきを得るものです。

大学の講義内で学生に体験してもらっていますが、さまざまな気づきがあるようです。最初は何を書けばいいのかと不安がっていても、やり始めるとハマる学生が多いです。自分で変化するのがわかるので面白いのでしょう。

ただ手紙を書いているだけのように見えますが、その人はけっこう成長します。不思議ですが、効果は絶大。ご家庭でもぜひやってみてください。

過保護・過干渉になっていないか

172ページから紹介した事例に登場するマイの祖母は過保護・過干渉で子どもの発達を止めてしまいました。「よかれと思って」が子にとっては「いい迷惑」という典型的な例です。保護者としては子どものためを思っているので、なかなか自分で気づきません。子どものことをよく心配しているという人は、ときどき自分の養育態度について振り返ることが必要ではないでしょうか。

あらためて整理しておくと、過保護とは必要以上に保護することです。子どもは自立するまでの間、発達に応じて親がサポートする必要がありますが、過度に子どもの要求に応じたり甘やかしたりといったことを含めて、必要以上に保護する態度をとっているのは過保護です。その中で、過度に干渉する関わり方が過干渉です。子どものやることや交友関係にまで口出しをし、ときには禁止するような関わり方です。

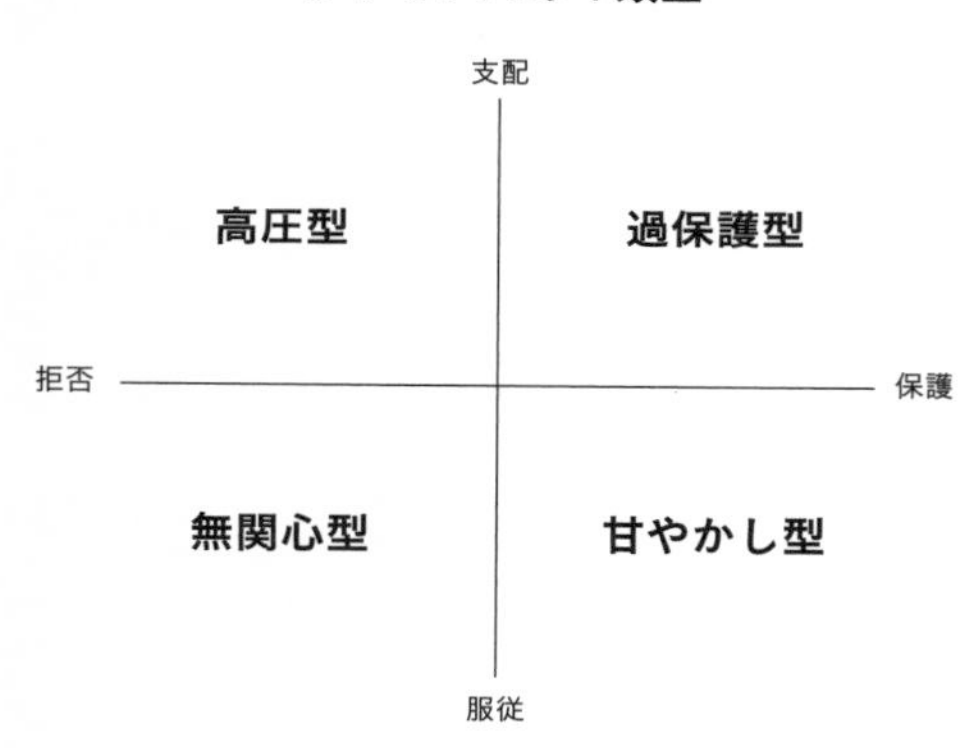

子どもに影響を与える親の養育態度について、アメリカの心理学者サイモンズは「**支配**」「**服従**」「**保護**」「**拒否**」の４つのタイプに分類をしています。自分の養育態度を振り返る参考になるのでご紹介しておきましょう。

支配

子どもに命令をしたり、強制したりする養育態度。子どもは従順に育つが、自発的な行動が少なく、親の顔色をうかがうようになる。

服従

親が子どもの顔色をうかがうように接し、

子どもの言いなりになるような養育態度。子どもは人に従わず、乱暴で落ち着きがないといった性格が見られる。

保護

子どもを必要以上に保護しようとする養育態度。子どもは危険に対して慎重である一方で、親のいないところでは好奇心を見せる。性格的には穏やかだが、身を守る術（すべ）を身につけていない。

拒否

子どもを無視したり、拒否するような冷淡な養育態度。子どもは神経質で落ち着きがなくなる。周囲の気を引くために反社会的な態度をとることもある。

以上の4つのタイプに大きく分かれますが、複合型になっていることが多いです。マイの祖母カズヨは【支配＋保護】の過保護型と考えられます。子どもの世話を焼きすぎて、子ども自身の成長の機会を奪っているパターンです。【服従＋保護】の甘やかし型は、子どもの要求を何でも叶えてあげようとして甘やかすパターンです。子どもは自己中心的で忍耐力のない子になります。

【服従＋拒否】の無関心型は、親が子どもにものを与えたり好きなようにさせたりしながら、無視しているタイプです。子どもは警戒心が強く、神経質で寂しがりやになります。

【支配＋拒否】の高圧型は、子どもに否定的な態度をとりながら命令し支配します。子どもは共感性に乏しく、親の支配から逃れるため逃避的な行動をとります。

自分がどのタイプに近いかを認識したら、支配なら服従へ、保護なら拒否へと寄せていくことでバランスがとりやすくなります。一方向にかたよらず、図の真ん中の部分にいるのが理想です。ぜひこの図をもとにセルフチェックしてみてください。

過保護VS自由放任

過保護の対極にあるのは自由放任です。サイモンズの分類では「拒否」にあたります。「子どもの自主性に任せている」といえば聞こえはいいですが、親としての責任感がうすい場合は危険です。自主性に任せられるのは、ある程度の分別がつくようになってからの話です。道徳的規範、社会のルールを教えるのは当然です。親子の信頼関係に基づいて自由放任にできるということなのです。

たとえば子どもが順番を守らず、遊具に並んでいた子を押しのけて遊んでいる様子を見ても、何も言わず好きにさせているなどというのは親としての義務を果たしていません。

先回りせず失敗させてあげることが大事と言いましたが、ルールすら教えないということではないのです。まして子どもが失敗したときに「自分でやったことなんだから、自分でなんとかしなさい。私は知らない」という態度でいいわけではありません。失敗したあとのリカバリー方法を一緒に考えたり、必要に応じて手助けをしたりする必要があります。

近年、非行少年の保護者には過保護・過干渉タイプも増えましたが、従来多かったのは放置・放任タイプです。子どもがしたことに対し「私は知らない」「私のせいじゃない」と言います。育児放棄のような状態で、まともに保護していない保護者なのです。

それでは過保護・過干渉タイプの親が、子どもの非行に対して一生懸命になって責任を取ろうとするかというと、そうでもありません。「子どものためを思って、こんなにやってあげたのになぜ」と言います。「私は悪くない」と言いたいようです。

要するに、「子どものために」と言いながら実は自分のために過保護・過干渉になっている人も多いのです。子どもが失敗をすると、そのあと面倒なことがあるから失敗させたくない。ケガをしたら自分の責任が問われるから、ケガをさせたくない。無意識にせよそんな気持ちがあって、あれこれ口出しをしているのです。

過保護も自由放任も、どちらも子どもにいい影響はありません。どちらかにかたよらないよう、ときどき振り返りたいところです。親は子どもの発達に応じて適切に保護・支援することが大事です。

難しい問題は親が出しゃばるよりも、専門家に相談を

過保護・過干渉の親のことを「**ヘリコプターペアレント**」と呼ぶことがあります。ヘリコプターがホバリングしているかのように、子どもの様子に目を光らせており、

何かあればすぐに飛んで行って助ける様子を言った言葉です。

子どもを助けようと思うあまり、学校などに乗り込んでいって自己中心的かつ理不尽な要求をするのが「モンスターペアレント」です。私も何度か目にしていますが、「この試験に不合格なのはおかしい！　やり直しをしろ」など本当にびっくりするような要求をする人がいるものです。「子どものために」と言っていますが、当の子どもはたまったものじゃないだろうと思ってしまいます。

それは本当に親の出番か、というのは一度冷静に考えてみてほしいところです。

もちろん正当な要求を伝えることは何も問題ありません。子どもの心配事を先生に相談するのもいいことです。たとえば「うちの子は発達の特性上こういうことが苦手なので、教室内でも配慮してもらえると助かります」と伝えるのは必要なことでしょう。子どもがひとりで解決できるようなことではないので、親が動くべきところです。まわりの大人たちがうまく連携することで、解決に近づくことができると思います。

それでは、子どもがいじめに遭っている場合はどうでしょうか。これは個々のケースによるところがあり、一概には言えません。

少なくとも言えるのは、子どもの話をじっくり聞くことが大事だということ。

それから下手に親が学校に物申しに行くよりは、専門家に相談するのがいいということです。子どものことを大事に思うがゆえに、いじめの話を聞いてカッとなって「いますぐ先生に言ってやる！」「相手の親に言ってやる！」と思ってしまう気持ちもわかります。しかし、感情的になった親が乗り込んでいって、解決するケースは少ないのです。むしろ、子ども自身が気まずい思いをすることが多いものです。

ですから、親が直接対決に出かけるよりも専門家を頼ることをおすすめします。いまはさまざまな相談窓口があります。いじめ問題を相談できる公的機関もたくさんあります。日本ではそういった機関を活用することに慣れていない人が多いですが、もっと気軽に相談したらいいのです。

子どもの問題行動、非行についても、心配があれば気軽に相談窓口を利用してください。少年鑑別所の専門家が培ってきた知識や技術を活用し、地域社会の非行・犯罪防止のための相談機関となっている「法務少年支援センター」が全国各都道府県にあります。無料で、面接や電話にて相談を受けています。メール相談ができるところもあります。

「子どもが家のお金をときどき盗っているようだ」
「夜に出かけることが増えて、悪い仲間と付き合っているのではと心配」

親がそういった相談ができるのはもちろんのこと、子ども本人も相談できます。

「友だちの万引きグループに誘われて、悩んでいる」
「ちょっとしたことでイライラし、暴力をふるってしまうのが自分でも怖い」

専門家に相談することで助けられることも多いですから、ぜひ心に留めておいてほしいと思います。

終章

子どもを伸ばす親の愛情

■グレずにすんだ「教師の子」

結局のところ、私は子育て・教育において、「これをやれば必ずうまくいく」という成功法則のようなものはないと思っています。ただ、「これをやってしまうとだいたい問題が起きる」というものはあると思うのです。

本書では、非行少年や犯罪者の心理分析から学んだことをベースに、「よかれと思って」が子どもを苦しめるといういくつかのパターンについてお話ししてきました。子育て・教育に悩む方たちのヒントになれば嬉しく思います。そして、ひとりでも多くの子どもたちの未来がさらに明るいものになればと願ってやみません。

……と、偉そうに語ってきましたが、私自身、完璧な人間ではありません。子としても親としても悩みながらやってきました。最後に少し、私自身のことをお話ししたいと思います。

巷では「教師の子はグレやすい」と言います。統計データがあるわけではありませんが、わからなくもありません。グレやすい理由があるとすれば、こういうことでしょう。「教師の子」というだけで社会的期待値が高く、背伸びをしてしまう。背伸びするうちに無理がたたって問題行動に発展する。そんなパターンではないかと思います。

実は私の父親は小学校の教員でした。最終キャリアは歴史ある名門小学校の校長先生です。

しかも小学校3年生頃まで、私と同じ学校に父親がいたのでイヤで仕方ありませんでした。みんな「先生の息子」として見るし、学校では父親が「あれを持ってきて」などと用事を言いつけることもあります。職員室に届けに行って「先生」と呼んだほうがいいのか、「お父さん」と呼んでいいのか悩んだものです。父親が別の小学校へ異動したときは本当にほっとしました。

ご多分に漏れず、先生の子どもとして期待されるのは窮屈な気持ちだったわけです。何かのきっかけでグレることもあるだろうなと思います。私も、いま思えば危なかったなと思うことはいくつもあります。

幸い、私の父親は子どもをよく観察する人でした。口癖のように言っていたのは、「**子どもは思っていることの1%も口に出せない**。だから保護者や教師は常に子どもを観察して、何か異変が起きていないか確認することが大切」ということでした。「**子どもが助けてと言ったときは、すでに事態の深刻さは回復が難しい**ところまで来ている」とも言っていました。

変な話かもしれませんが、私は中学1~2年生頃まで父親と一緒にお風呂に入っていました。お風呂でいろいろな話をするのが日課だったのです。

そのとき、私の様子がおかしいと感じると「どうかしたか」と声をかけてくれる父親でした。実際に悩み相談をして解決してもらったわけではないのですが、常に「話を聞くよ」という姿勢でいてくれたのが良かったと思っています。そのときちょっとモヤモヤしていることを話すだけで気がラクになるのです。何かあったときは相談できるという安心感もありました。

普段あまり会話がなく、**急に「最近ちょっと様子が変だぞ。話してみろ」と呼び出されたら話しにくかった**だろうと思います。いつものお風呂で何気なく声をかけてくれるのがとても助かりました。

模造紙を広げて家族会議

そうして何とかグレずにすんだ私ですが、大人になり、双子の女の子の父親になってみると親として悩みがいろいろありました。

私の法務省での仕事は、転勤がつきものでした。それも都道府県をまたいでの全国転勤ですから、家族には大きな負担をかけたと思います。子どもたちは仙台で生まれ、横浜、東京、高知、松山、東京と転居しました。小学校は4つも変わっています。私が単身赴任をするという選択もありましたが、家族で話し合い、一緒に移動することにしていました。

私自身は勤務地が変わっても基本的に業務内容は同じだったので、それほど大変ではありませんでした。しかし、家族は大変です。土地が違えば言葉も文化・風習も違うことがある中で、一から人間関係を作らなければなりません。娘たちも新しい土地で緊張することが多かったのでしょう。目が鋭くなり、顔つきが変わっているのを感じて胸が痛みました。

気をつけたのは、とにかく家族で話し合うことでした。親が一方的に決め、子どもに従わせるということはしません。**常に話し合って合意をとることを大事にしました。**私が法務省をやめて大学の教員になりたいと思ったときも、家族全員に相談しました。「家族会議が当たり前」という、家庭内の文化を作っていたのです。


子どもが悩んでいるときは、徹底的に話を聞きました。「こうしたらいいんじゃない」とアドバイスするのではなく、子どもの話を整理する役となります。テーブルに模造紙を広げて、キーワードを書いていきます。それを見ながら「これとこれがつながっているね」「ここが大事なんだね」と整理します。娘の悩みごとがあるときは、これを毎晩のように飽きるまで続けるというのが恒例行事でした。

たとえば大学受験に向けて毎晩話を聞いたことをよく覚えています。その後も就職活動の悩みなど、すべてこの方式で話を聞いてきました。双子なので進学のタイミングは同じですが、タイプは全然違います。だから、必要に応じて模造紙を広げてとことん話を聞くのです。

「うちの家族会議は良かったよね」と、いまは30歳になった娘たちが言います。そして、いまだに何か相談したいことがあると最後は模造紙を広げる手があることを知っています。

小さい頃から家族で共有する文化で育ってきたので、いまも家族全員で近況の共有をするのが自然なのでしょう。娘のひとりはカナダにいますが、毎日のようにFaceTimeなどを使ってビデオ通話をしながら話を聞いたりしています。家族4人が常に生活状況を共有しています。それも義務的ではなく自発的に。

私のスマホには娘から他愛もないＬＩＮＥメッセージがたくさん送られてくるので、人からはよく驚かれます。父親と娘はあまり連絡をとらないのが普通であるようです。娘からのメッセージは面白いし、仲がいいのはいいことだと思っていますが、「ちょっと親を頼り過ぎでは」と思うこともあります。

私の家族のケースがいいのか悪いのかよくわかりませんが、私たちは「家族会議で共有するのが普通」を目指していたということなのです。

各家庭での「目指す姿」を共有しよう

私の家族の話はひとつの例であって、「こうするとうまくいくよ」というつもりはありません。家族が100あれば100通りの姿があると思います。

いわゆる「普通の家庭」「一般的な家庭」をイメージして、そこから外れていると不幸だと思ったりせずに、「うちはこういう家庭を目指そう」と考えることが大事だと考えています。そして、それを家族の中で共有するのです。

私はこれを「**家庭内ブランディング**」と呼んでいます。

ブランディングとは、対象となる人に共通のイメージを持たせたり、価値を感じさせたりすることです。企業や商品についてが一般的ですが、これを家庭の中に応用することができます。どういうことかご説明しましょう。

まず、ブランディングには「アウター（外）」と「インナー（内）」があると言われています。消費者や取引先など対外的なものがアウターであるのに対し、インナーとは組織を構成するメンバーに対するものです。

会社であれば、会社のミッションやビジョンを共有し、各メンバーが自分ごと化できるようにすることを言います。このインナーブランディングがあるからこそ、社外から見ても統一されたイメージや価値が感じられます。「家庭内ブランディング」は、インナーブランディングのほうを指しています。

そしてブランディングといえば、重要なのが差別化です。「どこにでもある、普通の商品」であれば、ブランドになりえません。必ずブランドごとの付加価値がありす。たとえば、綿１００％のシンプルな白いＴシャツが並んでいるとします。機能としてはどれも同じようなものでしょう。

しかし、ブランディングによって、感じる価値は大きく違います。「着る人を一番美しく見せる白にこだわりました」「とにかく丈夫に作っています。１００回洗ってもヨレません」というように、それぞれこだわるポイント、すなわち目指す価値が違うのです。それがブランドの価値として共有されていることがまず重要です。

家庭で言えば、ドラマに出てくるようなキラキラした家庭でなくていいし、これといった特徴を持っていなくていいのです（もちろん、特徴を持っていてもいい）。しかし、「平凡な家庭イメージ」を何となく持っているだけというのは良くありません。自分の頭の中だけのイメージがバイアスを生んでしまうからです。

そもそも平凡や普通などというのは、あってないようなもの。家族の中で共有されているとは限りません。実はこれが危険で、ボタンのかけ違いが起こりやすいのです。「よかれと思って」が「いい迷惑」になり、気づいたときには深刻な問題が起きていることがあります。

差別化の観点からも言えることがあります。

あくまで家族のメンバーにとっての差別化です。家庭の中で「うちはこういう価値を持っていて、こういう家庭を目指している」ということが共有されていると、メンバーにとって唯一無二の「かけがえのない家庭」になります。家庭の機能はほかと同じ、もしくはちょっと劣っていたとしても、取り換えることはできません。失いたくないですから、非行を思いとどまらせる「コスト」にもなります。

「家庭内ブランディング」で、かけがえのない家族になっていくということなのです。

子どもに向き合っていることが大事

それぞれの家庭に事情があり、子育ての環境もさまざまです。経済的な問題で子どもと一緒にいる時間が短い、子どもの要望を叶えてあげられないという家庭もあるし、ひとり親で相談できる相手がいないという家庭もあります。病気、障害などで大変な苦労を背負っている家庭もあります。

厳しい環境であるほど、子育ては大変です。うまくいかずに落ち込むこともあると思います。

少年鑑別所には、子どもの問題行動について親が相談に来ることもよくありますが、「私は母親失格です……」と、すっかり自信をなくしている親もいます。

しかし、これもまたチャンスと考えて前に進んでもらいたいと思っています。問題行動というかたちでのサインに気づいたわけですから、悪かったところは修正していくことができます。修正をおそれないことです。

どんなに立派な親でも、子育てに悩まない人はいないでしょう。思い通りにいかないのが子育てです。余裕がないと「早くしなさい」とせかしてしまうし、「何度言ったらわかるの！」と感情を爆発させてしまうことだってあると思います。

最初から完璧な親なんていないのですから、失敗しながらより良い親になっていくしかありません。子どもの成長とともに、親も成長するものです。

子どもに言い過ぎてしまったなとか、あの言い方は良くなかったと思ったら、それを子どもに伝えてあやまることです。

「さっきはあなたのことが心配でつい言いすぎちゃった。ごめんね」

子どもは、親が自分に真剣に向き合ってくれていると感じるはずです。それこそが大事なのです。

子どもは、親の都合で動いているのか、それとも自分に向き合ってくれているのかをすぐに察知します。言葉では「あなたのためを思って」と言っていても、親自身の保身や世間体のために言っていればすぐにわかるものです。逆に、伝え方がヘタでも、真剣に向き合ってさえいればそれも伝わります。

うまくいかないことがあっても、愛情を持って真剣に向き合っていれば何とかなり

ます。

修正をおそれずにいきましょう。

これが本書で一番お伝えしたかったことです。

本書は、自身の子育ての方針や子育て観について振り返ることができるようにという意図で構成しました。

非行少年たちの心理分析で得てきた知見が、その一助になればこれ以上ない喜びです。

「親のせいでこうなった」という人へ

蛇足（だそく）かもしれませんが、最後に。この本をお読みの方の中には、「今の自分がこうなってしまったのは親のせいだ」と思っている人もいるかもしれません。少年鑑別所で非行少年の話を聞いていると、直接言葉にしなくともみんなそうでした。

「こんなふうに育てられたせいで、こうなった」

「必要なときにちゃんと指導してくれなかったから、こうなった」

たしかにそれはひとつの真実です。

問題が起きているとしたら、あなただけが悪いのではありません。

最近は「親ガチャ」などという言葉もあります。子どもは親を選ぶことができず、どんな家に生まれるかは運任せだということです。「親ガチャにハズれた」といえば、家庭環境が悪い家に生まれたという意味です。

父親がまともに働かず昼間から酒を飲み、母親は夜に働いているから、学校から帰っても誰も相手をしてくれなかった……なんていうことがあれば「こんな親のせいだ」と言いたくもなるでしょう。まわりからは理想の家庭に見えていても、「仕事と世間体ばかりで、自分のことなんてまったく気にしてくれなかった」と、親に恨みを感じている人もいるかもしれません。

ただ残念ながら、成育環境を変えることはできません。赤ちゃんに戻って、子育てをやり直してもらうこともできません。

それなら、その現実をどう受け止めて、これからどうしたいのか。考えるしかないのです。自分自身が幸せに生きていくためです。

「自分が悪くなったのは親のせいだ、だから仕方ない」で終わらせてはいけません。親を免罪符にしたところで、何の得もないのです。

蓄積している不満、怒り、寂しさといった感情をいったん吐き出すことは大事です。聞いてくれる人がいたら話し、誰もいないと思ったら紙に書き出してみてください。とことん吐き出して整理したら、前に進みましょう。これから自分が幸せに生きていくためにどうするかを考えてください。

人生さまざまなことがありますが、腐らず、あきらめずに生きていれば、必ずいいことがあります。未来はいつも明るいと信じています。きっと。

著者略歴

出口保行（でぐち・やすゆき）

犯罪心理学者。1985年に東京学芸大学大学院教育学研究科発達心理学講座を修了し同年国家公務員上級心理職として法務省に入省。以後全国の少年鑑別所、刑務所、拘置所で犯罪者を心理学的に分析する資質鑑別に従事。心理分析した犯罪者は1万人を超える。その他、法務省矯正局、（財）矯正協会附属中央研究所出向、法務省法務大臣官房秘書課国際室勤務等を経て、2007年法務省法務総合研究所研究部室長研究官を最後に退官し、東京未来大学こども心理学部教授に着任。2013年からは同学部長を務める。内閣府、法務省、警視庁、各都道府県庁、各都道府県警察本部等の主催する講演会における実績多数。「攻める防犯」という独自の防犯理論を展開。現在、フジテレビ「全力！脱力タイムズ」にレギュラー出演しているほか、各局報道・情報番組において犯罪解説等を行っている。

SB新書　589

犯罪心理学者が教える 子どもを呪う言葉・救う言葉

2022年 8 月15日　初版第 1 刷発行
2023年 8 月10日　初版第16刷発行

著　者　出口保行

発行者　小川 淳

発行所　SBクリエイティブ株式会社
〒106-0032　東京都港区六本木2-4-5
電話：03-5549-1201（営業部）

装　丁　杉山健太郎

カバーイラスト　こんどうしず

本文デザイン D T P　株式会社ローヤル企画

編集協力　小川晶子

校　正　有限会社あかえんぴつ

編　集　北 堅太（SBクリエイティブ）

印刷・製本　大日本印刷株式会社

本書をお読みになったご意見・ご感想を下記URL、
または左記QRコードよりお寄せください。

https://isbn2.sbcr.jp/16533/

落丁本、乱丁本は小社営業部にてお取り替えいたします。定価はカバーに記載されております。本書の内容に関するご質問等は、小社学芸書籍編集部まで必ず書面にてご連絡いただきますようお願いいたします。

ISBN 978-4-8156-1653-3